C000076315

LONDON PRISONER

Régis Franc

London prisoner

(Scènes de la vie d'un Français à Londres)

Fayard

Couverture : Cheeri

ISBN : 978-2-213-65611-3

Ce qui me revient, c'est d'abord une sombre image qui tremble. Et voilà que le spectateur se met à trembler aussi car *déjà* il devine le fantôme. Pour le moment, il est encore loin, là-bas, de l'autre côté du pont. Il arrive. On déplore la pellicule rayée mais tant pis, cela ajoute au charme, il suffira d'être plus attentif. Voilà du bon cinéma muet. Alors, un carton surgit plein écran où l'on peut lire :

« Passé le pont, les fantômes vinrent à sa
rencontre »

Car ici, il faut traverser.

Quitter Paris puis passer sous la Manche, emporter avec soi femme et enfants, s'écarter donc, sans ballots, sans paquets, sans livres, sans rien, essayez vous verrez, les fantômes, doucement, viendront à votre rencontre. Ceux qui sont partis le savent, on ne s'éloigne pas sans frayeurs. Il arrive que la mémoire s'affole. Tout ce que vous allez quitter est resté là, quelque part dans un coin de votre tête, comme si vous n'aviez pas souhaité réellement partir ou, qui sait, comme si vous partiez à regret.

Voilà bien une chose inavouable.

Londres, car c'est de Londres qu'il s'agit, fait beaucoup d'effet aux voyageurs français. Il y a ceux de passage, qui s'ébaudissent comme si on leur avait prêté les clefs de la caravane, et l'on sent qu'ils n'hésiteront pas à faire payer aux malheureux restés en France la joie d'avoir frôlé, le temps d'un week-end, le tweed et le biscuit au gingembre.

Ce qui n'aura été pour les jambes qu'une promenade éreintante se transformera au retour en une sorte de diplôme secret. En murmure flatteur : « Monsieur connaît Londres. » Dans le cas de Madame, on risquera l'émeute au déballage des trésors puisqu'elle, l'ointe, la bénie des dieux du shopping, a mis les pieds chez Harrod's. Chez Arr-odzz ! Mieux qu'un diplôme : une preuve de goût. Quel bonheur.

Alors, pourquoi Londres ? Bruxelles n'est pas la pire des villes, on le sait, et si Londres n'est qu'à deux heures de train, Bruxelles est plus près encore. On y parle même français. Bravo. Seulement, la Belgique est un pays ami.

Il faut le dire : à Azincourt, on avait qui, en face ? Pas les Belges. Eh ! ça change tout.

Paul McCartney n'est pas belge.

Il y a bien d'autres raisons.

Celle-ci, que l'on ignore souvent : le Français est voyageur. Et je le prouve.

Le Français est partout chez lui sur terre, il conserve ses habitudes, sa façon de voir les choses, ses qualités. Difficile de parler de ses défauts : il n'en a pas. Tenez, premier exemple, on trouve à Londres, en plus de Harrod's et de son *food hall* – où le prix de la tranche de jambon dépasse celui du cochon entier vendu ailleurs –, la sève goûtue de cette France lointaine, ces Français qui vivaient déjà là. C'est une belle expérience que de rencontrer les « *expates* ». Ils se mettront en quatre, rivaliseront d'anecdotes bluffantes pour vous laisser croire que c'est *génial* ici, qu'ils sont tellement heureux loin de Paris.

Oooh ! soupirais-je.

Heureux loin de Paris ? Des jolies boucles de la Seine ? De cette tendre ville où, le soir venu, l'on se poudre, où l'on dessine sur sa joue la mouche ravageuse pour aller dire des horreurs poilantes, des blagues saignantes autour de tables de fêtes ? Quoi ? What ? Tu plaisantes, Vicky ? Are you kidding, Charlie ? Non, non, quitter Paris ? N'y pense pas. Impossible. L'esprit français, my darling, it's so unique !

L'expate au sourire amusé, écoutant vos arguments pitoyables, ne vous croit pas... Il sait bien, *lui*, que l'Angleterre est un paradis. À l'usage, on découvre qu'il est aussi, *lui*, un met de roi, ou, si vous préférez, un apéritif pour dîneurs british. Soumis la plupart du temps aux turpitudes locales, il ressemble à l'Anglais, ou à l'idée qu'il se fait de l'Anglais. Il vit presque comme lui... Il est émouvant. Il ne se sent plus *vraiment* français. Écoutons-le : Oh ! notre pôvre France ! Eh oui, eh oui... Il y a toujours des grèves ? On brûle de plus en plus de voitures, non ? Vous savez que tous les Anglais vendent leurs fermettes en France en prévision de l'eurocrash ! On ne vous raconte pas tout à France Inter ? Et, dites, dites, à la télé, vous avez toujours les présentateurs français ? Ridicules, non ? L'expate imite le téléphone. *Téléphone* : Dring, dring ! *Le ridicule journaliste français* : On me dit en régie qu'il va être impossible de passer Kaboul... Jamais, dit l'expate, cela n'arriverait à BBC News. Ah ! ah ! ah ! L'expate est sans-pi-tié. Moqueur. C'est sans doute parce qu'il lit la presse Murdoch. On s'interroge. Ou peut-être serait-ce qu'il fréquente trop l'indigène ?... Silence. Oui ? C'est ça ? Oui ? Non ?... Silence. Aïe, aïe. Ai-je gaffé ? Eh bien, c'est-à-dire que, est-ce qu'on fréquente les Anglais ? Pas vraiment, non, les... Anglais reçoivent très peu chez eux.

Hein, Brigitte, en vingt ans de London, on a été invités combien de fois chez les Johnes-Lennon ? Et voici que Brigitte, jusque-là solide et souriante, vacille, s'effondre en larmes dans le canapé couvert d'une montagne de petits coussins tricotés. Et la vérité tombe. *Ja-mais.* Jamais les Anglais ne reçoivent chez eux, c'est, c'est... comment dire ? Ça ne leur est pas naturel. Entrer dans leurs maisons ? Impossible.

Comme c'est triste.

L'expate est soumis. Au pays des briques, il a appris à encaisser. Avec le sourire. Là, là, c'est fini, on s'essuie les yeux, on se mouche. Well, dit Brigitte, je suis sensible comme une Française, sorry. Elle est, déjà, comme on le voit, presque anglaise.

Et donc, le train s'enfonça sous la mer...

Personne n'a eu l'idée d'éclairer le tunnel comme autrefois celui du métro où l'on pouvait lire sur les murs *Dubo, Dubon, Dubonnet.* On va désormais en Angleterre par un souterrain affreusement noir et l'on regarde autour de soi, éclairé par la lumière blafarde dont la SNCF a le secret, les visages des uns, des autres. Et, déjà, l'on se dit que les Français ont l'air français. Mes enfants s'inquiètent du nombre de litres d'eau salée qu'ils ont au-dessus de la tête et les Anglais s'inquiètent de la fermeture annoncée du bar où il n'y a toujours pas de divine pompe à bière. Loin de moi l'idée de commencer ce livre en expliquant que, dans le pays qui va devenir le nôtre, l'indigène boit comme un trou. Cela serait maladroit puisque j'arrive, que personne ne m'a invité et que, de toute façon : Toi ? Tu vas adorer, ceux qui connaissent le pays m'ont prévenu. Je vais adorer.

... Et déjà le train surgit dans la campagne anglaise.

Adieu les merveilleux grands espaces de Picardie propices aux envahisseurs ! Adieu les ciels sans fin ! Adieu plat pays où l'Eurostar (prononcer Iou-reusta désormais), fierté de l'industrie française, fonçait à trois mille à l'heure. Fini. Terminado. Ici, c'est autre chose. On n'a pas encore prévu les rails, les voies, ça viendra plus tard, on utilise le vieux réseau anglais « temporary », temporairement. Ce mot-là je vais l'entendre encore, puisque le temporaire anglais a été inventé pour durer des années. Vue du train, la campagne anglaise est magnifique. Verte. Un poil « chichi ». Tricotée main. De petites parcelles, de petites haies, de petites collines, de petites routes, gnagnagna. L'extérieur anglais s'inspire de l'intérieur anglais. On l'a fait confortable. Et les fermes ! Ô les fermes ! Rien à voir avec les « exploitations agricoles » françaises, utilisant des machines monstrueuses capables d'enduire de pesticides

des kilomètres carrés. La ferme anglaise est à taille humaine et, à la fin, de moins en moins humaine, depuis que Maggie Thatcher a décidé, lors de son inoubliable règne, de plus s'emmerder avec les bouseux. Les fermiers anglais ont morflé. Les farines animales leur ont fait du tort et Chirac, champion du Salon de l'agriculture, de la peine en refusant leur viande.

Et le train se traîne. Un pré, une haie. Un pré, une haie…

Bien plus tard, tandis que nous roulons au pas, apparaîtront les premiers faubourgs de Londres, la ville où nous vivrons désormais.

C'est d'abord une suite de maisonnettes de poupées pauvres, identiques, bordée côté voie ferrée d'un jardinet au gazon approximatif et au panneau de basket utilisé le seul après-midi glorieux où il fut acheté. On sent bien que ces territoires ont peu de visites. Qu'on y abandonne pour l'éternité le vélo du petit. Des bassines. Le jour de notre arrivée, ils étaient vides. Y a foot. Puis la ville s'étoffe. Les habitations deviennent plus hautes, à peine plus hautes, étroites et entrecoupées de fabriques de matériaux, de voitures, d'entrepôts pakistanais. Quant aux « maisons », on s'est donné un peu de peine à l'avant, côté rue, où l'on a installé des porches à colonnes et chapiteaux. Chic. Très vite, on note un goût immodéré pour la brique. L'Angleterre, ce sont des millions de briques posées patiemment les unes sur les autres. On rêve à une population laborieuse, humble, tout entière occupée à monter des murs de briques.

Mes enfants ont l'air perplexes.

En ce temps-là, on descendait du train à Waterloo Station. Traverser la gare permettait de découvrir des boutiques où l'on propose des tonnes de bonbons de toutes sortes, des *dough-nuts*, des chips – grosso modo la base de la nourriture locale – et des journaux. Quelques livres. Parmi ceux-là, mon œil fut attiré par une table entière consacrée à un best-seller écrit par un Anglais qui a vécu à Paris : *Une année dans la merde*. Il s'agit de la chronique drolatique d'un malheureux *Monsieur Anglais* incapable d'éviter les déjections canines sur les trottoirs et qui a pour les Français (les êtres vivants qu'il classe juste au-dessus des saletés des chiens parisiens) la plus grande bienveillance. Moi qui reste nostalgique de Paris et tout à mon désir de devenir un vrai Briton, j'ai jeté un coup d'œil furtif à mes semelles. On ne sait jamais. Tu vas voir, m'avaient prévenu des amis, tu vas a-do-rer.

Parmi eux, Éric, mon vieux camarade, qui vit aujourd'hui à Paris, qui s'y connaît en Anglais pour s'être beaucoup amusé à Londres au temps des Beatles, garde de ce pays un souvenir ému. Il pense que l'Anglais est supérieur au Français dans tous les registres. Éric déteste les Français vaniteux, hâbleurs, poseurs et, me dit-il, pas fiables puisque c'est le qualificatif essentiel dont nous régalent les Anglais. « Pas fiables. » Et arrogants.

Tu devras donc, m'avait prévenu Éric, y aller mollo sur la critique sous peine d'arrogance française.

C'est promis. Je vais faire de mon mieux. J'ajoute que ma capacité à m'ébaudir est infinie. Donc : po-si-tif. D'accord, d'accord.

En taxi, nous avions à peine traversé le pont de Westminster, admiré la dentelle fine du Parlement et la splendeur moderno-cucul bâtie juste en face, que déjà le premier fantôme vint à ma rencontre.

J'avais quinze ans.

C'était l'été. Mon père, dans son souci de me faire profiter des délices de la vie ouvrière, m'avait embauché sur un chantier. Nous vivions dans ce sud de la France d'où l'on aperçoit, par temps clair, les montagnes vers la frontière espagnole. Il faisait chaud à crever. Les maçons étaient de pauvres bougres immigrés venus à pied du fond de l'Andalousie. Le soleil, ils connaissaient. Je servais de « manœuvre » à

José Martinez. Autrement dit, j'allais chercher sa bière fraîche à l'épicerie. Et cinq qui font dix : je laissais glisser en comptant le reste de monnaie dans sa main. Je descendais de l'échafaudage pour récupérer les outils tombés. Je remontais sur l'épaule des sacs de chaux. Et je l'écoutais chanter sans fin des romances andalouses. J'ai appris le castillan. Vu du toit d'une maison, le vignoble à perte de vue est inoubliable, même si du plomb fondu dégringole du soleil. José était un homme simple. Dimanche, il se mettrait bien propre, il irait à Narbonne, au train, accueillir sa mère qui n'en pouvait plus de vivre seule là-bas, dans le sud de l'Andalousie, depuis la mort de son mari. Illettrée, elle avait demandé à une voisine d'écrire au fils ces quelques mots : « *J'arrive le 20. Signé Madame veuve Ramon Martinez.* » Dimanche, donc. Elle venait en France pour lui, pour s'occuper de lui, car José n'avait toujours pas, à quarante-trois ans, trouvé de femme. José préférait les putes de Béziers. Les Andalous ont le sens pratique, *como no ?*

Remedios Martinez y Colchon – native d'Estepona, provincia de Cadix – descendit du train et j'étais là. Elle appartenait à cette catégorie de femmes pour qui la vie n'a pas été une franche rigolade. Un nez d'oiseau noir piqué de trous, des sourcils épais cachant un front étroit, trente kilos d'os sans gras, vêtue de la tête au pied de noir, un regard noir, elle n'avait pas dû souvent danser la sévillane. Sortie de la gare, elle s'assit à l'arrière de la voiture, prétextant que « c'est la place des femmes ». Plus un mot ne sortit de sa bouche. Elle regardait ma nuque comme le vampire de Murnau. Je me tournais vers elle, lui souriais péniblement en lui répétant : « C'est après les collines, madame Martinez. » Si en cet été lointain je ne pouvais pas comprendre, aujourd'hui c'était facile : elle avait quitté son pays. Elle était paumée. Madame Martinez savait que ça n'allait pas être du gâteau. Mais *elle*, elle la bouclait.

Autant le dire, il m'est arrivé, depuis le jour où j'ai traversé le pont de Westminster, d'être rattrapé par le fantôme de la vieille paysanne. Mémé Martinez, c'est moi.

Elle s'installa avec son fils dans une rue paisible de l'ouest du village. José était content. Sa mère ? Va savoir. Elle mit des semaines à sortir, et, un dimanche, fit ses premiers pas dans la rue au bras du maçon. Il connaissait toutes les familles, saluait, prenait des nouvelles des uns, des autres, tandis que sa mère, agrippée à son bras, restait muette. Même sollicitée, elle refusait de répondre. José, bon garçon, disait : Escoussez-là, ilé comprend pas trop. Ce que j'allais vivre à Londres n'était pas loin de ce désastre.

Un an après son arrivée, prenant son courage à deux mains, madame Martinez sortit seule. Elle longea la rue, tourna dans l'avenue Léonie-Chanart, héroïne de la révolte viticole de 1907, et arriva à la boulangerie Souleyan, « Au fin pain occitan ». Elle entra. Rirette Souleyan, le fond de teint farineux, couverte de bijoux comme une boulangère, la reconnut sans jamais l'avoir vue. Effrayée par cette sorcière de Walt Disney elle-même effrayée, pour donner le change elle lui adressa un large sourire et dit : « Et pour madame Martinez, ça sera ? » Dire qu'un volcan bouillonnait sous le crâne de la pauvre vieille est peu de chose, elle hésita et, après un long moment où l'on redoutait qu'elle meure sur place, disparaisse en laissant un petit tas de cendres plein de haine, avec la voix de Coco le perroquet de Long John Silver elle cria : « Ping ! » Ça voulait dire pain, on s'en doute. Elle fut servie. Elle s'enfuit.

Pour elle, c'était une immense victoire, elle était enfin parvenue à parler la langue des barbares. J'ai les yeux humides en pensant à elle.

Quoi ? Comme ça, vous seriez parti vivre à Londres sans connaître quelques mots d'anglais ? Brigitte ? Viens écouter ça ! C'est inouï ! Tu sais, le type qui te faisait tant rire avec ses petits dessins dans *Elle*. Il ne parle même pas anglais. Mais voyons, mon ami !

C'est impossible ! L'anglais est devenu depuis, disons, le milieu du XXe siècle, *le latin du Moyen Âge* ! – j'adore la formule, décorez du pompon du manège celui qui l'a trouvée. Vous avez vécu à Paris, capitale internationale. On ne parle donc pas anglais, à Paris ?

C'est insensé !

I'm so sorry.

J'ai l'air idiot. Je dirai pour ma défense que je suis né dans le bas Languedoc, ce Sud profond si imprégné de civilisation espagnole. Je viens d'un milieu ouvrier où l'apprentissage d'une langue avait à voir avec les habitudes de sa classe sociale. Seuls les enfants des propriétaires terriens, des grands bourgeois, étaient sélectionnés pour l'anglais. Moi, j'ai appris l'espagnol, que j'ai tant aimé, pour parler à ceux de mon rang.

Et puis je dois dire aussi que juste avant d'entrer en sixième, c'est important, ça, ma cousine Plume que j'aimais, avec qui j'ai passé mon enfance, adorait me taquiner puisqu'elle, promise à un destin de dame des villes, l'apprenait, l'anglais. Elle me disait : « Fredonne avec moi : *It's been a hard day's night and I've been working like a dog.* Allez, allez, ne fais pas ton grand couillon. » Et je répétais en écorchant les mots. Elle riait. Elle se foutait de moi. Qu'il est cong ! Qu'il est cong ! Je rougissais. J'en ai bavé.

J'aurais bien aimé pétrir ses gros nichons. Mais pour un merdeux incapable de chanter deux mots d'anglais, non, oublie. Tu rêves, mon garçon, vu que moi, plus tard, je coucherai avec un Beatle, n'importe lequel. Hé ! Ho ! T'approche pas sinon je crie et t'as une tarte de gala, aller-retour. Elle était comme ça, ma cousine. Qu'ajouter d'autre ? Grâce ou à cause d'elle, cette langue sacrée me serait à jamais interdite. J'avais pas la classe...

Avant d'arriver à Londres, V. (c'est ma femme) (née ici) (mais pas tout à fait anglaise) avait pensé inscrire nos enfants dans une école anglaise.

Nous avons réfléchi. Nous avons renoncé. Ce qui explique que nous avons décidé de nous installer dans Kensington. Autrement dit dans le quartier français. Près du lycée français. Aussitôt, quelques expates intégrés nous ont reproché notre choix. Ah bon ? Vous aussi ? Vous êtes dans le quartier français ? Quoi ? Bèèèè, y a que des Français ! C'est pénible, non ?

Voilà bien le discours que je préfère. Du veau sous la mère, de l'Aberdeen Angus, du bœuf de Kobé. Ce « N'y va pas, y a que des Français » est un régal. Comme si les Français qui se surveillent toujours du coin de l'œil, les Français friands d'égalité bécassonne mais individualistes forcenés, se regroupaient à l'étranger. Jamais. Pas eux. Jamais. Ils se détestent trop. La plupart habitent le même quartier mais ne se parlent pas. Si un Français croise un autre Français sur les trottoirs de Kensington, il murmure dans sa barbe : « Fatigue, on n'entend que parler français. » C'est mignon, non ?

Pour trouver un appartement, nous avons collé aux basques d'un jeune *estate employee*, aux cheveux dressés en crête de coq, portant le costard cravate avec l'aisance d'un docker de Liverpool à l'enterrement du chef du syndicat. Il avait, disait-il, trouvé ce qu'il nous fallait. Il sonna à la porte. La locataire ouvrit. Nous entrâmes. Elle s'apprêtait à quitter cet appartement. C'était une femme grande, une maigre. Le « docker » et elle échangèrent les simagrées d'usage, la visite pouvait commencer. Ma femme me dit : Passe devant. Et la dame murmura alors dans un petit souffle de dégoût : Oh, French... Le tour fut vite fait. Ça ne valait pas tripette, mais quelle ne fut pas notre surprise en apprenant à la fin de la visite que la grande maigre était française. Elle repartait en France. Son « Oh, French » était si délicieux. Je l'aurais presque insultée.

Ça y est, nous avons un toit. Une maison. Très anglaise. Rez-de-chaussée, couloir central, bureau taille boîte à chaussures, cuisine-salle à manger. Escalier. À l'étage salon étrusquo-indo-renaissanço-gothico-chichi. Escalier. Chambres boîtes à chaussures. Escalier. Combles. Et dedans, la « masterbedroom ». Un mètre soixante-dix de hauteur sous plafond. On dormira sous la tente. Tout cela coûte une petite fortune. Ça n'est pas moche, c'est hors concours. C'est ce qu'on a trouvé de mieux. Dans ce pays, on construit l'escalier d'abord et l'on s'arrange *temporary* avec la place qui reste.

Tout briques, ça va de soi.

D'après notre estate employee – il nous l'a murmuré –, la propriétaire est une authentique princesse anglaise. Baroness Bee von Kouglow. On a du bol. Elle s'apprête à nous rendre visite. On prépare déjà les petits drapeaux rouge et blanc. En vérité, elle veut s'assurer que ces Français n'ont pas des têtes de voleurs d'argenterie. Ma femme, qui a des manières, me chuchote : Ne reste pas en T-shirt. Sa Noblesse va arriver d'un moment à l'autre. Nous expliquons aux enfants qu'ils auront le droit de ne pas se disputer pour un oui, pour un non, pendant que Sa Splendeur sera dans les parages, et que gazouiller comme deux gentils petits oiseaux serait parfait.

J'ai passé une chemise.

On sonne. La voilà.

Baroness Bee est grande, plutôt blonde. Elle porte un tailleur Chanel couleur pêche et aux pieds des chaussures de sport. Elle a la trentaine. Elle fait plus. Le Chanel, sans doute. Sa jupe est reliée à ses Didas par deux jambes affreusement maigrichonnes mais halées qui contrastent avec son brushing Jackie O. C'est déséquilibré mais ça a du chien, comme si, au-dessus du visage, elle avait posé une petite montgolfière hésitant entre le vent d'est et le vent d'ouest. Elle entre. Elle parle un anglais chiquissime. Marie-Antoinette vient compter ses moutons. Elle est suivie de ?... J'ai oublié son nom. Appelons-le *Ciaoamore* de manière à comprendre rapidement ce qu'il fait là. C'est un Porfirio rhabillé par Calvin Azaïs. Il pète le staïle. Le djin serré, serré. Il est total sympa. Tout de suite, les propriétaires veulent savoir si nous sommes contents. Yes indeed, Baroness. Ma femme répond. Mon mari, ajoute-t-elle, ne parle pas encore anglais. Everything is OK ? Fridge ? Yes, Ba... Call me Bee, dit-elle en papillonnant de ses yeux de fée.

Bee ? Et là, soudain, je suis transporté. Nous allons avoir des amis anglais. Bee von Kouglow nous a adoptés. Elle saura nous guider parmi ces millions de briques anonymes. Nous irons le dimanche dans ses propriétés du Devon, pourquoi pas, monter de purs pur-sang anglais, et rirons à gorge déployée avec Ciaoamore. Quand je pense à tous ces expates névrosés, jamais reçus chez les rosbifs, mon cœur de Français se serre. Qu'ils sont cons. Trop français… La visite est un rêve. Bee appelle personnellement ces gens du téléphone qui refusent de nous ouvrir la ligne autrement que *temporary*. Bee règle tout. Elle s'informe de la scolarité de nos enfants. Ciaoamore a un T-shirt dégaine sous la veste Prada qui fait loucher mon fils : « Do you really like it, Marius ? I'll bring it one for you, son. » Un rêve. Je suis émerveillé de voir ces gens charmants dire des choses simples en anglais et je révise déjà mon point de vue sur Paris (ville des merdes de clebs, on ne le dira jamais assez).

Hélas, même les meilleures choses ont une fin. Rassurée sur l'avenir de ses fourchettes, Bee dit « au revoir » sans le moindre accent. Oh ! m'exclamé-je, vous prononcez parfaitement notre langue. Parce que c'est aussi la mienne, dit-elle. Je suis française. J'ouvre de grands yeux. Oui, gazouille-t-elle, mais ici je préfère parler anglais, c'est plus « pratique ». Ah-ah-ah, bien sûr, bien sûr. Renseignements pris, Bee, de son vrai nom Barbara Castagnet, est native d'Avignon. Elle a épousé un von Kouglow âgé. Elle a divorcé. Elle l'a désossé. N'en parlons pas, c'est privé. Ciaoamore, plus résistant, a repris le flambeau. Bee a gardé le nom du baron. C'est plus… « pratique ».

Nous n'irons pas tout de suite dans le Devon.

Oui mais, après deux mois, me dit Éric, tu conviendras que tu ne connais pas encore bien Londres. Tu railles les Français installés ici, d'accord, mais attends un peu. Va au pub. De mon temps, je veux dire du temps des Beatles, j'allais au pub. Et je vais te dire, au pub, on rencontre des Anglais, ils sont ultrasympas ! Le pub, c'est fait pour se parler. Eh ? Peut-être qu'il y aura Paul McCartney, hein ?

Éric se moque de moi.

Je me doute que Paul McCartney va rarement au pub. Il n'a pas besoin de rencontrer des gens, lui. Depuis *Sgt. Pepper's*, il mange bio et épicé, c'est écrit dans tous les magazines pour femmes, *Elle* compris. Paul au pub du coin, en train de s'enfiler des litres de bière en croquant des spaïci potatos ? Allons, allons. D'autant que le pub, comme le café (à part le Flore, bien sûr), n'a jamais été mon style.

Un jour viendra pourtant où j'essaierai, c'est sûr.

Mais pour le moment, quelque chose me retient. Ou quelqu'un. Gérard Cougourle, sans doute. Lui et moi étions assis sur le même banc en troisième dans mon Midi natal. Très vite,

Gérard avait été « politisé ». On ne la lui faisait pas. Il n'était pas encore le marginal qu'il devint plus tard, mais déjà il détestait « la société ». Celle de consommation, bien sûr. Il n'était pas mao : que des congs. Il n'était pas coco : que des congs. Gérard serait hippie. Il voyagerait. Il connaîtrait le *vaste monde*. Dès la classe de seconde, Gérard était devenu un exemple. Trois poils avaient poussé sous son menton, il fumait du chit. Dans sa chambre, il se préparait pour des *trips* initiatiques que sa pauvre mère interrompait d'un cri poussé en bas de l'escalier : « Gé-gé ! le dîner refroidit ! » Incapable de supporter ce traitement inhumain, un jour, Gérard Cougourle disparut.

On l'admira encore plus.

On se doutait qu'il était parti en Inde, patrie des vrais hippies. « Ouais mec, il a pris sa pile d'*Actuel Novapress* et zou, à dégager. » Un héros. Gérard Cougourle était devenu Jay le hippie. Et puis silence radio. Quinze ans d'absence. On murmurait qu'il avait fondé une secte à Bénarès : le cougourlisme. Où de jeunes Nordiques blondes se battaient pour faire l'amour avec lui. Personne ne connaissait l'origine de l'information, mais le cougourlisme, ça faisait rêver. Ceux qui s'éloignent gagnent en mystère.

Plus tard, Gérard réapparut.

Au café. Si l'on compte bien, nous l'avions perdu de vue en classe de première, où il avait à peine vingt-deux ans, et maintenant, à trente-sept, il rentrait au village. Il avait *vachement* bourlingué. Ceux du bistrot étaient prêts à lui pardonner les cartes postales jamais reçues pourvu qu'il les fassent profiter de quelques trucs salés sur le cougourlisme et ses adeptes blondes. Oh ! il soupira. Il avait changé.

Cheveux longs dans le cou, calme, avec en haut du crâne devenu lisse une mouche de café attentive, elle aussi passionnée par la vie des sectes, on le sentait disposé à tout raconter. Il avait grossi. Était-il devenu amer ? Il me prit à part, il ne voulait parler qu'à moi, à cause de la troisième. Les autres ne comprendraient pas, dit-il.

« J'ai quitté ma mère après une dispute. Je me suis posté à la sortie du village. J'ai tendu le pouce, direction l'Inde. J'ai mis trois jours pour faire vingt-cinq kilomètres. J'ai compté qu'à ce rythme je serais à Bénarès huit ans plus tard. Pourtant je n'ai pas laissé tomber. Ce fut difficile mais j'ai fini par arriver en Provence. La Provence, mon pauvre, c'est pas comme ici, c'est les Bouches-du-Rhône, les gens sont moins accueillants. Je devais travailler. Alors, j'ai fait la récolte des fruits pour gagner un peu d'argent et prendre le bateau à Marseille. Comme Gauguin. Dans un village, on m'a embauché aux abricots. Cueillir les abricots, c'est l'enfer. Mais ça n'était rien, l'enfer, j'aurais pu le supporter. Le plus dur, c'était le soir. Comme j'étais seul, les types du coin m'amenaient au café. Il fallait m'intégrer. Ils se torchaient au Casanis. Tous les soirs. Ils parlaient avec un accent terrible, je ne comprenais rien et pour me faire aimer d'eux, comme eux, j'en prenais une. Quand tu n'es pas chez toi, qu'on t'amène au café, tu es obligé de boire, sinon tu es moins que personne. À l'heure de la paye, quand j'ai eu réglé mon ardoise, il me restait trois sous. J'ai pris le car pour Marseille. Hélas, j'étais devenu... » Un silence embarrassé suivit. Quoi, Gérard ? Qu'est-ce que tu étais devenu ? Un long silence. Alors, tu veux le savoir ? Oui, Gérard. Un alcoolique ! Et le cougourlisme, dis ? Oh ! ça... Un jour, reprit-il à voix basse, à Marseille, j'ai rencontré un type de chez nous. Je lui ai demandé de donner au village des nouvelles de Gérard qui était en Inde où il avait fondé une secte. La légende dorée du cougourlisme était en marche. Je n'ai rien fait pour l'arrêter.

Voilà pourquoi je n'ai jamais aimé ni les cafés, ni les bars, ni les pubs...

OK, dit Éric, compris. T'es allergique au pub. N'en parlons plus. Mais essaie donc de faire quelque chose proche des Anglais. Du dessin, ça, tu sais faire, non ? Avec de la craie, sur le trottoir... tu dessines la reine, ou tiens, Diana. Pas mal, non ? Peut-être que tu passeras à la télé, who knows ?

C'est drôle. Volant à mon secours, de gentils amis parisiens m'expliquent comment m'y prendre. D'autres, positifs, me secouent les puces. Un job ! Dans les journaux anglais ! Ça serait bien, non ? Et le cinéma ? T'as plein de relations dans le cinéma ! T'étais bon pour les dialogues, non ? Ton copain Machin, là ? Tu as déjà écrit des choses avec lui. Non ? Tu ne veux pas ?

Bien sûr que j'aurais voulu...

Mais d'abord, j'avais besoin de parler la langue. Paris, où j'étais arrivé à vingt ans avec un accent à couper à la hache, m'avait enseigné que, pour faire la plonge dans une arrière-cuisine, oui, non, suffisent. Mais pour devenir le dessinateur vedette du *Financial Time*, ou le scénariste favori de Stephen Frears, il est conseillé de saisir les nuances. Et, en ce qui concerne la plonge au McDo de Piccadilly, il n'était pas question de voler leur travail aux Pakistanais que je respecte malgré leurs moustaches. J'ajoute que je suis distrait, rêveur, que je risquais de casser des assiettes et que ma femme aurait été triste de me voir jeter à la rue par le gérant le soir-même. Gérant qui n'aurait pas manqué d'ajouter avec l'accent paki : You're fired ! Va voir chez Stephen Frears si j'y suis !

Vers la mi-Novembre, V. rentra des courses un bout de papier au bout des doigts : « Je t'ai trouvé une prof d'anglais, elle a vingt-trois ans. Elle vient demain matin. » Normalement constitué, j'ai d'abord retenu le nombre vingt-trois. Demain, ça me laissait le temps de prendre une douche et de mettre du pschitt-pschitt sous les bras.

J'allais être sauvé.

À nous deux London.

le lendemain matin, la jeune fille sonne. C'est ma femme qui la reçoit. Très ému, je l'attends dans le minuscule bureau, parfumé comme un coiffeur. Matilda est très professionnelle. Elle a apporté des livres pour me faire la lecture. Je note que les crayons de couleurs et la pâte à modeler ne sortent pas de son cartable, j'en déduis que ça sera pour plus tard. Quand j'aurai le niveau. Je m'attends à voir surgir aussi les gommettes.

À quoi ressemble-t-elle ? Pas à Paris Hilton.

Elle est blonde. Filasse. À cheveux long. Sa tenue fait penser aux images de files d'attente interminables que l'on voyait sur des photos des pays de l'Est au siècle dernier. La parka, le pantalon masculin, le gros pull, le bonnet (il fallait s'équiper pour faire le pied de grue par moins trente degrés). Vous êtes étudiante, je devine ? Moi ? dit-elle, non, non ! je fais la plonge le soir au McDo de Piccadilly, le truc américain, là, sur la place, vous connaissez ? Je donne des cours d'anglais le matin pour me faire un peu d'argent en plus. Je viens d'arriver à Londres. Oh ! Et vous venez d'où ? Bingo. Une Croate ! Je suis enchanté, je vais apprendre le croate. Et vous donnez des cours d'anglais, pas de russe, Matilda ? Elle ouvre de grands yeux. Mais personne ne veut parler russe ! Anglais, anglais ! Je me dis qu'une jeune fille aussi volontaire va vite se trouver un baron von Kouglow à plumer. L'an prochain, souhaitons-le-lui, elle rachètera la maison de Bee. Le Devon, whatelse, comme dirait Nespresso... Les purs pur-sang anglais viendront manger une pomme dans sa main gantée.

Grâce à elle, j'ai appris les verbes irréguliers.

Et si je ne les prononce pas toujours avec un parfait accent croate, c'est parce que Matilda n'est pas restée très longtemps avec moi. Ce fut pourtant une expérience décisive. Matilda me parlait comme on s'adresse aux grands malades en phase terminale. Et là ? C'est quoi ? C'est un verbe irrégulier, ÇA ? Oh, c'est facile, pourtant ! J'étais confus. J'avais des « intolérances » avec l'accent croate comme d'autres avec le gluten. Il fallait arriver à une solution. Lui laisser entrevoir que, sous ma peau d'âne, j'étais, moi aussi, un être humain. Je venais de vivre quinze jours très rudes. J'avais pris l'habitude d'absorber, juste avant l'arrivée de la jeune fille, un bol de *porridge* – qui me rappelait la Blédine de mon premier âge. Bref, je régressais. Et voilà que ce matin-là j'eus un éclair de génie, je trouvai une parade. Matilda ne m'humilierait plus. Dès qu'elle posa la parka en disant : Come on, letz ztart, Youri up, Iouse English words, pleaze, je pris le contrôle de la situation. Dites, Matilda, vous n'avez pas laissé, là-bas dans votre beau pays, un gentil garçon qui vous attend ?

Il y eut un instant de flottement.

Les yeux bleus de la jeune fille s'assombrirent, devinrent d'une couleur mer Adriatique.

Elle venait de s'apercevoir que j'étais là.

Moi et non pas un de ses crétins d'élèves. Elle retira son pull-over géant et je découvris qu'elle cachait dessous d'énormes nichons qui me firent penser à ceux de ma cousine Plume. J'étais à nouveau fasciné comme la souris devant le croate. J'allais revivre quelque chose d'ancien. Elle s'assit, sourit pour la première fois, posa sa tête dans une main et murmura : « Il vit à Muc. Je viens de Muc moi aussi, c'est à l'ouest de Sinj et au nord de Klis. Il me manque. Je lui envoie tout mon argent. Il veut ouvrir une salle de sport de combat. Il a été champion de Croatie de full combat. C'est un homme. Vous voulez voir sa photo ? » Je n'ai pas insisté, mais Matilda me l'a montrée quand même. Nous avons vécu alors une intéressante parenthèse où l'anglais n'a eu que peu de place. J'appris qu'Ivo était un sacré gaillard. Que pendant la guerre contre les Serbes il ne s'était pas laissé marcher sur les pieds. Matilda était inquiète. Il va coucher avec toutes les femmes du village, je le connais, ce gros salaud ! Mais voyons, Matilda ! Pourquoi ferait-il ça ? Matilda pleurait, je la consolais. Le jour où elle m'a demandé de téléphoner à Ivo pour le rendre jaloux, j'ai compris que je ne progresserais plus grâce à elle. Naturellement, nous avons arrêté le « cours d'anglais ». Elle m'a dit « Zorry » sincèrement, nous nous sommes serré la main, et son parka couleur bûche abandonnée au fond de la remise et elle s'éloignèrent sur le trottoir de Kensington.

London est plein de gentilles filles des Balkans à l'avenir incertain.

Enseigner l'anglais est une bonne affaire. Quoi ? Regardez donc le nombre d'officines qui proposent l'apprentissage de la *langue de Shakespeare* en trois semaines et vous jugerez. Autour du lycée français on en compte une dizaine. Autant de sympathiques escroqueries à l'usage de pauvres gens. Dire qu'on y apprend l'anglais est exagéré. On y pompe d'abord vos maigres sous, ce qui vous donne le droit de vous retrouver dans une pièce au dernier étage d'un immeuble pouilleux où vous allez rencontrer Dana la Turque voilée, Mario l'Argentin gloussant, Monica la Polonaise à permanente, la Chinoise appliquée qui ne compte pas pour du beurre, la mélancolique obèse ukrainienne, tout ce nouveau monde échoué ici pour tenter de survivre en terre promise. Le « professeur » a ses habitudes. Il colle deux par deux ses étudiants et annonce : Je vais me faire un café, entraînez-vous à faire des phrases simples comme : Bonjour Madame l'Officier du Health Center, je suis venu me procurer le formulaire B6749, mon patron me demande si par hasard, je n'aurais pas ramené en UK des puces sans passeport.

Je n'ai pas appris l'anglais en trois semaines.

Et d'ailleurs, au bout d'une semaine, j'ai laissé tomber. Je vais donc me débrouiller seul. Je m'y prendrai comme ces prisonniers magnifiques qui apprennent des livres par cœur au fond de leurs cellules. Ma cellule, c'est le bureau-boîte à chaussures d'où j'entends chuinter les avions en route pour Heathrow. Ils survolent à très basse altitude les toits de Chelsea au rythme de dix par minute les jours de vent d'ouest. Le nombre d'heures passées là, à regarder le ciel, la taille des avions, les nuages, est inimaginable. Oh ! J'essayais bien d'avoir des projets. Écrire une pièce de théâtre, par exemple. Une comédie. Des plaisanteries, des délires d'enfant. Tous s'effondraient. Loin de Paris, on vous oublie. Et je n'étais pas encore habitué à la fameuse *créativité anglaise* qu'on m'avait si souvent vantée.

Tu vas voir, m'avait prévenu Éric, les Anglais sont tellement artistes. Arty. Nous, à côté, on est nuls.

Recommencer toujours, telle est la règle.

En trente ans de vie parisienne, j'avais pu remplir un long carnet d'adresses composé d'écrivains, de cinéastes, de peintres, de journalistes, d'animateurs TV, d'actrices, de gens du monde et de la politique. Autant de charmants monstres aussi nécessaires à la survie en ville qu'une doudoune Monclère à Courchevel (je jure n'avoir jamais mis les pieds à Courch') (Courchevel 1600, jamais). Autrement dit, je redoutais l'avenir.

Dieu merci, j'avais *déjà,* avant d'arriver, deux (1 + 1) amis anglais. Grâce à eux, je sauterais la case expate d'un coup de dé magistral. J'allais connaître rapidement Son Altesse Royale le prince de Galles, le joueur de tennis David Beckham que l'on voit sur toutes les réclames avec sa femme et, of course, Paul McCartney. Mes amis restés en France s'étrangleraient de jalousie.

Éric me précise en souriant que David Beckham ne joue pas au tennis mais au snooker.

Quelques mois avant notre départ, j'avais appelé Mitch, pour lui indiquer que nous avions décidé de nous installer à Londres. Mitch et moi avions passé pas mal de temps ensemble, dans le sud de la France ou en Italie. Nous nous étions beaucoup amusés. Il parlait parfaitement français et je le trouvais très anglais. Il gagnait sa vie comme metteur en scène. Nous avions eu des projets avortés, partagé des idées lumineuses sur le cinéma, ce qu'il était, n'était pas, ce qu'il aurait pu être. Sur Jean-Luc Godard. Je le confesse ici pour la première fois, le cinéma a été l'amour de ma vie. Lui en vivait bien, et moi, qui ai frôlé cette planète d'assez près, j'en garde un grand souvenir. Quand il tournait à Hollywood, nous discutions des heures au téléphone, quand il tournait à Rome, j'allais l'encourager sur son plateau. Puis nous mangions des spaghettis vongole dans une trattoria où Fellini avait ses habitudes. Tout cela m'incitait à croire que la dolce vita devait exister aussi à Londres et que j'aurais en Mitch le meilleur guide. C'est dire quelle fut ma surprise lorsque, après lui avoir lancé : « Nous serons à Londres le 31 août », j'entendis à l'autre bout du fil un long, profond silence.

Certains lecteurs connaissent, j'en suis sûr, les infinies forêts du Klondike dans le nord-ouest du Yukon, Canada, que Jack London a décrites à merveille. Quand le soleil s'y couche, que l'hiver approche, on a beau tendre une oreille violacée, on n'entend rien. L'air froid a gelé jusqu'au cri caractéristique du grand faucon moine à huppe bouclée (espèce endémique que je viens d'inventer). Pour une région du monde inhospitalière, c'en est une. Le PARFAIT silence. Suivi de ce qui fut mon baptême du feu anglais, mon dépucelage. « Ah ! Bien ! Très bien ! »

Qui n'a pas connu ce *très bien* ignore par où sont passés les élèves des *public schools* upper class. Ces petits États dans l'État où de jeunes *Messieurs* apprennent à manipuler l'art malicieux de la litote. Le « Ah ! Bien ! Très bien ! » peut être traduit en parisien habitué du Flore par : « Oh merde, il débarque … »

Dire que l'on s'y habitue serait exagéré.

Il me fallut donc apprendre.

Pour ce faire, je regardai en boucle des comédie célèbres où Hugh Grant bafouille toujours en s'excusant : « Ah ! Bien ! Très bien ! » et je fus épaté que l'on paye aussi cher ce beau garçon pour répéter la même chose de film en film. Ah ! Bien ! Très bien ! Bon, n'en parlons plus. Ce coup de téléphone n'avait pas été une déception, juste un petit crève-cœur. On me dira : Pourquoi le moniteur de ski, roi de la montagne, à la combinaison rouge insubmersible et plus si affinités, l'homme dont la trace sur le flan du glacier ressemble à un haiku, débarquerait-il à Paris ? Qui lui a dit que la descente du Grand Doudou avec de merveilleux amis parisiens offre un passeport pour une demi-seconde d'attention de leur part à Saint-Germain-des-Prés ? Au secours, il a rien capté, *l'autre*. J'étais devenu *l'autre*. C'était sévère. L'Anglais aussi sait être cruel.

Heureusement, j'avais un autre ami à Londres.

Un gigantesque Oriental. Un danseur obèse. Souplesse de cobra, longs cheveux noirs dévalant au bas du dos. Metteur en scène lui aussi de choses baroques or whatelse. Star fucker professionnel. Délicieux. Drôle et last but not least : pédé. Je sais que je devrais écrire homosexuel. Que c'est plus poli. Bien sûr que je sais tout ça. Que gay est plus correct. Ali parle, rit, aime et déteste fort. Il n'hésite jamais, entre deux bons mots, à caser que sa grande amie Isabelle Adjani, bla, bla, bla. Il raffole de l'affaire Bettencourt. Il en fera un ballet. Il se réserve le rôle de Liliane. À lui seul, il remplirait la moitié des pages people de *Gala*. Où il apparaît souvent, toujours sur le même profil, près d'une vieille princesse refaite que plus personne ne reconnaît. Ali sait que plus tard il se fera lifter de la tête aux pieds. Il le dit en pouffant de rire et reprend du dessert du bout des lèvres. Puis il se penche vers moi : Tu me fais dire que des conneries, pendant ce temps je m'empiffre. Si demain matin je suis déprimé, je t'appelle, ça sera de ta faute. Nous nous amusons beaucoup. Donc, voici qu'avant d'arriver ici, un soir, à Paris, j'avoue humblement à Ali que je vais vivre à Londres. Il se redresse, s'étonne et me regarde comme un bienheureux. Quoi ? C'est pas vrai ! Tu vas adorer ! Tu sais, Londres est *ma* ville. Ça n'a rien à voir avec Paris, dont les murs sont tapissés de cons prétentieux. À Paris tout est étriqué, figé, trop old staïle. Tu vas trouver à Londres une énergie incroyable. En trois mois tu parles anglais, c'est facile, et puis là-bas, les gens, tu prononces mal, ils s'en foutent, ils adorent l'accent français. Tu sais, il y a plus de spectacles inouïs à Londres en une semaine qu'en dix ans à Paris. Tu vas adorer. Je te présenterai à tout le monde.

Le fantôme de madame Martinez s'éloignait.

Le moniteur de ski remontait dans ses montagnes. J'étais sauvé.

Tant de bonheur à venir aurait dû m'alerter, mais, d'un tempérament confiant, j'avouai à Ali que j'avais écrit une pièce. De théâtre. De théâtre ! Qui ? Toi ? Tu as écrit une pièce de théâtre ! Mais je veux la lire ! Ali, attends... Ta-ta-ta ! Je veux la lire, tu me la donnes demain ! Attends... Mais si, mais si ! Alors, que faire lorsqu'on est vaniteux comme deux Alain Delon ? Eh bien, je la lui ai apportée.

Il l'a lue.

Je ne vous ai pas encore parlé de la façon de s'adresser à une actrice de cinéma. Il faut s'en tenir à quelques règles simples. Un : s'extasier. Deux : mentir. Trois : jurer que l'on connaît son œuvre sur le bout des doigts – surtout si les films ont plus de vingt ans. C'est un peu comme cela qu'Ali m'a traité. Écoutez ça. *Ali* (voix de basse, débit lent) : Écoute, je l'ai lue... (long blanc) Chéri, je veux la monter, j'adore. *Moi* (stupide) : Non ? Tu blagues ? *Ali* : Je ne plaisante pas, je vais la traduire en anglais, tu sais, je connais tout le monde du théâtre à Londres. Et tu sais, le théâtre anglais est le meilleur du monde. Et tu sais, je vais en parler à mon agent qui est le meilleur agent de Londres.

Ah ! Encore une règle : utiliser à haute dose le mot *meilleur*. Avoir toujours près de soi le meilleur agent, le meilleur restaurant chinois, le meilleur Pilates...

Il arrive qu'un ami ouvre pour vous, le temps d'un après-midi, le flacon des parfums, et vous êtes enivré.

J'allais donc partir à Londres, capitale incon-tes-table du théâtre, où je serais joué.

Le soir de la première, salle comble, Paul McCartney, qui ronfle d'habitude à tous les spectacles, applaudirait debout dès le tombé de rideau et qui sait, si je suis d'humeur, lui et moi irions au pub pour descendre une pinte.

Écoute (Éric parle), le théâtre anglais est inoubliable, le soir à Soho les plus grands acteurs du monde offrent à des public de connaisseurs la crème de la crème de l'art théâtral.

En lisant ces lignes on ne pourra s'empêcher de penser que j'appartiens à la catégorie des Français arrogants et vulgaires épatés par tout ce qui brille. Un de ces expates pour qui la soupe n'est jamais assez bonne. Je le confesse. Oh ! je me serais bien contenté d'un mini-bol de soupe, mais Ali en avait décidé autrement. Les premiers temps à Londres, lui et moi déjeunions souvent dans le carré de la ville où il embrasse le plus de monde. Nous avons ça aussi à Paris, des lieux où se retrouve tout ce qui travaille dans l'édition (au Flore), l'art (au Bouledogue), le cinéma (Chez Marius), la téloche (au Murat). Rien n'est plus agréable que d'arriver dans un endroit où le patron vous fête. Ali me susurrait que le chauve à voile et à vapeur entièrement vêtu de cashmere noir assis au fond de la salle avec un Yougo spécialiste du martinet était le type sans qui rien ne se passait du côté du... Oui mais, Ali, et ma pièce ? Hein ? Comment vas-tu t'y prendre ? Je rencontre ton agent quand tu veux... Il réfléchissait en regardant ses « scalops ».

La difficulté, dans ce genre d'affaire, est que, pour faire avancer les projets, il faut le doigté d'un maître de manège. Si vous bombardez votre bienfaiteur de « Alors ? Qu'est-ce que tu fous ? Merde, ça avance ? » il prend peur et s'enfuit. Il ne mangera plus de « scalops » arrosées au chablis avec un type aussi lourd, et vous n'aurez plus l'immense privilège de régler une addition de nabab. Tout se paye. Il n'avait pas encore commencé la traduction de ma pièce car il était très occupé mais ça ne saurait tarder.

Qu'à cela ne tienne.

Pour patienter, je décidai d'aller à la découverte du merveilleux théâtre anglais.

J'étais prêt à en prendre plein la gueule. Je n'avais plus qu'à lire les œuvres avant de les découvrir sur scène, qu'à traduire ce qui me paraissait difficile, et en avant, tu vas voir ce que tu vas voir, petit Français prétentieux, le théâtre, ici, c'est pas de la gnognotte. Et là, rétorque l'amateur de théâtre anglais agacé : Mais *monsieur*, quand on ne connaît pas la langue, il est absurde d'aller au spectacle. Touché ! Il est vrai que lui, le même amateur, se pâme à *La Femme sans ombre (Die Frau ohne Schatten)*, Strauss, en allemand pur et dur, durant trois heures et dix minutes, au Châtelet. Je ne suis donc pas embarrassé d'aller voir Jeremy Iron à Soho jouer *Embers* de Christopher Hamptons d'après un roman de Sandor Marai.

J'ajoute que j'avais vu Jeremy donner la réplique à Al Pacino lors du tournage du film *Le Marchand de Venise*. J'en gardais le souvenir d'un acteur impeccable. Je vais donc, ce soir, le voir, sur scène, à Londres, patrie autoproclamée du théâtre. V. m'accompagne. J'ai mis une cravate. Dans le taxi je repense à Peter Brook, ce divin Anglais de Paris, à l'inoubliable *Cerisaie* vue aux Bouffes du Nord quelques siècles plus tôt. Je me souviens de la salle des Amandiers à Nanterre, aux répétitions du *Conte d'hiver* de Shakespeare, dirigée par Luc Bondy. De la Manufactures des Œillets. De Chéreau et de la solitude des champs de coton. D'autres encore.

En entrant dans la bâtisse, à Soho, je repense aussi à ma première soirée au théâtre. En hiver. Un soir de tramontane glacée, à Carcassonne.

J'avais quinze ans. J'étais ému.

Il y avait du velours rouge râpé aux murs, des lanternes de bordel fêlées au promenoir.

Ah ! l'odeur ! On nous avait trimballés en car jusqu'au centre-ville, depuis le pensionnat où j'étais interne. Nous eûmes droit au *Huis clos* de Sartre. Le moisi de vieux murs hors d'âge va comme un gant à l'existentialisme. Pas un seul membre du club des branleurs qui avaient dépensé cinq francs pour aller faire un tour en ville plutôt que de croupir à l'étude n'a compris quelque chose à la pièce. L'enfer pour nous, fils du peuple, c'étaient d'abord des fourches et des fourchus. Une troupe locale jouait. C'était faux, pénible. Les pauvres. On s'est emmerdés ferme. Marguerite Duras parlait de « l'admirable qualité d'ennui » que l'on éprouve au théâtre...

À Soho, quand le rideau s'ouvrit, le décor par Roger Hart et les costumes par Donald Caldwell étaient à la hauteur du velours râpé des murs de Carcassonne. Mais qu'avait donc fumé Jeremy pour porter une barbe aussi ridicule ? Il parlait et parlait sans fin à un type qui faisait ce qu'il pouvait en se glissant d'un fauteuil à l'autre et qui n'ouvrirait pas la bouche. Jeremy tenterait tout au long du spectacle de lui faire avouer qu'autrefois, va savoir quand, il avait couché avec sa femme. Le type, oui, avec la femme à Jeremy. On est au début du siècle. Le XXe. En Hongrie. On s'emmerde en Hongrie, mon Dieu, qu'on s'emmerde. Jeremy s'emmerdait aussi. Son partenaire qui la bouclait, n'en parlons pas. Pauvre homme, il devait se dire que l'enfer, c'est les autres.

À la fin, le public applaudit du bout des doigts même si les critiques, eux, s'étaient extasiés. Jeremy, darling, va donc jouer aux Amandiers, ou aux Bouffes du Nord, ton talent, que je n'ai pas vu ce soir-là, mérite mieux.

Je me suis autorisé une familiarité avec ce grand acteur. Je l'ai appelé : Darling. Dans ce pays où l'on ne se touche pas, où l'on est dégoûté par ces Français qui se claquent la bibise avant même de se connaître, on s'envoie du darling, du honey à tout bout de champ. Ainsi, la serveuse du prêt-à-manger qui vous rend la monnaie va vous lâcher avec un bon sourire : Enjoy, honey. Pouvez-vous imaginer un seul instant la serveuse parisienne, celle qui est fatiguée, vous tendre votre jambon-beurre avec un : Régale-toi, mon chéri !

C'est une vrai différence.

La politesse, denrée toujours en magasin à Londres, ne se démode pas. J'ignore pourquoi la politesse n'est plus un réflexe pour nous, Français.

Dans le Midi, le magasin de cycles et motos de mon cousin Joseph était bourré à craquer de vélos, de moteurs, de graisse, de dérailleurs, d'outils. Ça sentait bon. Joseph ressemblait à

Raf Vallone. Il portait une combinaison noire. Ses manches retroussées découvraient des avant-bras noirs de cambouis. Il avait le poil noir et le regard noir. Il habitait au-dessus de l'atelier, dans le quartier de l'église. En ce temps-là, les affaires des marchands de vélos étaient prospères. On aimait Louison Bobet et Gino Bartali. Il y avait toujours des ouvriers agricoles pour tailler une bavette avec lui près de l'établi, la clope au bec. En fin de matinée, sa femme descendit de l'étage. Une beauté. Propre comme un sou neuf. Un chic d'altesse. Ce jour-là, elle annonça à Jo qu'elle accompagnait le petit – mon cousin Pipou âgé de sept ans, propre comme un sou neuf lui aussi, l'intérieur des oreilles astiqué, la raie dessinée au cordeau sur le côté, chez le docteur, pour une piqûre. Pipou tirait la gueule. Tous les hommes de l'atelier avaient le coup au cœur pour cette apparition, cette actrice de cinéma perdue là, comme eux, dans ce trou oublié. Et voilà que, juste au moment où la déesse parfumée sortait, monsieur le curé entra. Un curé de ce temps-là. Avec soutane. Un de ces curés souriants, crades et polis – on y vient. Chez lui, c'était clair, la promesse du Paradis était aussi mirobolante que celle proposée par un de ces types du Middle West qui refilaient du crédit immobiliers à 0 % juste avant la crise. Ma cousine, lointaine avec les ouvriers agricoles, s'empressa de saluer l'abbé Bourrel. Eh bien ? dit-elle en secouant son garçon, dis bonjour à monsieur le curé ! Pipou pensait à la piqûre, il garda un air renfrogné. On s'étonna. Si propre et si mal élevé ? Dis bonjour ! insista son père en train de torturer une chambre à air. Rien n'y fit. Le curé se pencha alors et dit : Eh bien, mon petit bonhomme ? Bonjour, bonjour ? Alors Pipou tendit vers l'homme de Dieu un visage furieux et cracha : Salut gros con !

Cela fit un beau scandale.

Il reçut la raclée de sa vie. Il évita la piqûre. Heureusement, il ne fut pas excommunié.

La politesse n'est plus une vertu française. Regrettons-le. Enjoy, honey ne marche qu'en anglais.

Il en existe de nombreuses variantes.

Qui n'a pas vu approcher la estate agent en retard pour la visite d'un taudis en briques, la grande fille juchée sur des talons aiguilles qui lui brisent les pattes mais d'où elle ne descendrait pas pour tout l'or du monde, la Sandy Shaw à l'imparable gobelet rempli d'un café immonde, elle qui lance déjà, à trente mètres de vous, un : « I'm so, so, so, so, so… sorry » qui s'étire jusqu'à l'instant où elle vous fait face, ne saisira jamais les nuances de la politesse anglaise.

Cette personne ne s'excuse pas de vous avoir fait poireauter sous la pluie. Elle répète une phrase lâchée mécaniquement des dizaines de fois par heure par chaque sujet de Sa Majesté. I am sorry n'est pas une manière de compatir à votre embarras, c'est la meilleure façon de se défaire de vous. Autrement dit : Lâchez-moi la grappe avec ça, on va pas faire le réveillon là-dessus. Plus il y a de so, so, so, plus l'embarras causé est quantité négligeable.

Une agente immobilière française dira : Hé ! Ho ! Ça va ! Je suis à peine en retard. Vous n'allez pas me gonfler pour ça, non ? Voilà une autre façon de faire. Il est autorisé alors de répondre : T'es en retard d'une heure, pétasse, la prochaine fois, je me casse. C'est plus viril. À Paris, il suffit d'aimer les rapports virils. À Londres, tandis que la blonde cherche les clefs de la turne, qu'elle vous sourit en disant : I'm Mary et fait zigzaguer le café dans tous les sens au risque de vous asperger, il faut répondre : OK, hello Mary, nice to meet you. C'est tout. On ne se répand pas en colère ridicule, on ne tape pas du pied. On est trempé jusqu'à l'os. Elle-même est trempée jusqu'à l'os. Oui, me direz-vous, mais *elle*, depuis sa plus tendre enfance, elle prend l'eau. En janvier, vous la croiserez sur Picadilly en T-shirt et tongues, Starbucks coffee à la main. La pluie n'existe pas pour elle.

Exemple : à la bataille d'Azincourt, les ros-bifs nous ont foutu une pilée. Pourquoi ? À cause de deux jours de pluie qu'on n'a pas su manager. La chevalerie française n'était pour-tant pas qu'un ramassis de tocards dépressifs. Mais le mauvais temps a toujours été avec eux. Contre nous.

Et Ali ? Et MA pièce ?
Plus de nouvelles. Il est occupé.
Inutile de lui laisser des messages. Il ne répondra plus. Il est loin, ailleurs, il est passé à autre chose. C'est foutu. Je me fais ma petite crise de « black dog », comme dirait sir Wins-ton. Je m'en ouvre à un de ses meilleurs amis, un gentil metteur en scène du théâtre « natio-nal ». Un petit homme poli et suave qui préfère monter des chefs-d'œuvre d'auteurs morts.
Tim me regarde comme un gentil idiot.
Tim a le sens des nuances. Il suggère qu'Ali n'a jamais eu la moindre intention de montrer mon chef-d'œuvre à son agent. Qu'il n'y avait que moi pour le croire. C'est, dit-il, de la poli-tesse étant donné qu'Ali éprouve pour moi une grande tendresse.
Comme on le voit, j'ai du chemin à faire.

Parfois, traversant King's Road, j'aperçois mon reflet dans la vitrine et c'est bien un Fran-çais qui est là, se hâtant, tournant la tête à gauche, à droite, regardant les passants dans les yeux. Quel manque d'éducation ! Un touriste ignorant les habitudes des *natives*. Voilà ce qu'a été ma vie. Du tourisme. Plusieurs fois, j'ai cru m'attacher à un lieu et puis, au bout du compte, non.

Nous avons quitté la bonbonnière de Bee von Kouglow sans un regret. En septembre, nous rangerons nos brosses à dents un peu plus loin dans un petit appartement, au premier étage d'un immeuble années trente, seule verrue middle class dans une sorte d'enclave arborée, un nid de maisons victoriennes, luxueuses, de Continental Bentley et de Primary Schools pour têtes blondes déposées vers 8.30 AM par de longues mamans, elles-mêmes blondes montées sur talons aiguilles et descendant de Porsche Cayenne le long de trottoirs tranquilles. Ici, Vicky honey, Charlie boy, sweety Katy en charmants costumes et chapeaux assortis – regardez comme ils sont adorables – vont apprendre à devenir de vrais petits Anglais. Ça n'est pas rien.

Et puis l'été arrivait.
Comme la Méditerranée et ses délices nous faisaient de l'œil, nous nous éloignâmes sans façons de l'Angleterre. Nous avions confié, pour trois mois, nos quelques affaires à un

garde-meuble : les déménageurs, de braves costauds escortés d'un petit rusé comme le père d'Audrey Hepburn dans *My Fair Lady*, nous avaient expliqué que prendre une garantie était foutre de l'argent par les fenêtre, que nous n'avions rien à craindre. Le garde-meuble était un vrai coffre-fort, n'est-ce pas, Ron ? Oooh Yep, avait confirmé Ron en louchant sur notre écran plasma. Résultat, on s'est gentiment fait arnaquer. À l'anglaise : T'as rien signé, chéri ? Cherche pas, rêveur, tu l'as dans le baba. Plus d'écran plasma en septembre, pas de caisse de vins. Le chapeau de paille de V. : disparu. Vous aviez souscrit une assurance ? a gazouillé la gentille employée. No, darling, vos copains nous l'ont déconseillé. Hold on. J'imagine Peggy la main sur le téléphone regardant Ron assis sur ses genoux en train de se siffler un flacon de MON pic-saint-loup avec le chapeau de paille de ma femme sur la tête et lui murmurant : Ces Français sont de vrais trous-du-cul.

On apprend tous les jours.

Je vous épargne les menaces, les lettres, les démarches auprès du boss qui en avait entendu d'autres. L'air exténué de l'avocat requis pour la peine, nous expliquant qu'il était hasardeux de payer les services d'un *barrister* de haut vol comme lui pour récupérer quelques litres de vin et un chapeau. À la con. Un haut-de-forme en paille, n'est-ce pas ridicule ? Je n'ai rien lâché, désolé, vieux – ici, il est courant d'appeler *vieux* son avocat s'il coûte plus de cinq cents livres la passe –, car la nuit je rêvais de ce grand fils de pute de Ron, ce bastard de rosbif aux bras tatoués s'envoyant de grande lampées de mon seul cos-d'estournel 1990, gagné au loto de Noël de mon village, là-bas dans le Sud. Il me venait des envies de meurtre. Les Français n'ont pas de nerfs.

Or il allait m'en falloir.

Nous avions abandonné, vous disais-je, la « Bee bonbonnière » pour un petit appartement car dès le début de notre aventure nous avions compris qu'il serait plus audacieux d'acheter ici un « truc » plutôt que de payer pour un gourbi chichiteux un loyer équivalant à une suite à l'année à l'Eden Rock – même si nous étions émus que Bee puisse donner, grâce à nous, des pommes Royal Gala à ses canassons de course.
Et c'est là que nous avons rencontré Jasmine.

Car Londres, si créatif, est aussi très cosmopolite. De l'Australien en boots tombé du bush au Jamaïquain amateur de couleurs flashy, vous trouvez ici un incomparable panel de l'espèce humaine. À côté, avouons-le, Paris ressemble à Laguiole. En hiver. Quel frisson lorsque vous croisez une femme du Golfe entièrement vêtue de grands draps noirs et cachant son visage derrière son masque de cuir. La voici qui tourne au rayon parfumerie chez Harrod's, escortée du gros du Golfe à la barbe impeccablement taillée, milord sapé d'un jogging haute couture de sportif du dimanche et coiffé de la casquette Abercrombie. Un vrai zazou. Les nababs du Moyen-Orient passent volontiers l'été à Londres, à tel point que la police avoue ramasser en automne des Ferrari abandonnées ici et là, au bord du trottoir. Les cheikhs et leurs suites repartant vers la péninsule. Oui, pourquoi emporter la voiture ? On a ce qu'il faut au pays, non ?

Il m'arrive de regarder ces femmes aux yeux verts en amande, cachées sous un voile noir bordé d'or d'une parfaite élégance, regrettant que les délices de l'Orient fatal soient à jamais interdites au chien infidèle que je suis. L'Orient, voilà le sujet, puisque nous avons rencontré Jasmine qui ne se déplace qu'en Mercedes de l'année et connaît par cœur les quartiers de l'ouest de la ville. Jasmine, notre guide venue de Perse, qui parle avec une infinie douceur, qui sourit de ses beaux yeux noirs cernés de khôl et qui cherche pour nous, avec nous, une maison à vendre. À Londres, ville de marchands, seul le beznezz compte. Si vous avez dans la main droite une chose qui peut se vendre, peu importe qu'elle ait doublé de prix en passant dans votre main gauche. Celle du cœur. Les Orientaux savent ça en naissant et Londres est leur terrain de jeu. Jasmine a épousé un Français qui ramasse le pognon à la pelle à neige dans la City. Pendant ce temps, sa femme en Mercedes deale avec les agents immobiliers. Un loukoum pointu en affaire. Bon, écoutez, Jasmine… Mais non ! Mais non ! Je suis votre amie ! On se tutoie ! Bon, écoute, Jasmine, tu… nous proposes des choses qui ne sont pas pour nous ! Mais non ! Mais non ! Ne regardez pas les prix ! Si ça vous plaît, on parle ensuite !

Ainsi, nous visitâmes des absurdités à jacuzzi au milieu du salon. À salle de bains total marbre Walt Disney. Mais non ! Mais non ! Vous la referez ! Je connais des artisans ! Ainsi parlait Jasmine sans jamais se défaire de sa douceur persane. Et, après des tours et des tours dans la ville, tandis qu'elle nous récitait des poésies de son pays, nous nous en voulions de jouer aux Fransaouis difficiles. Jasmine souriait toujours. Ça prendra le temps que ça prendra, mes amis, mais je me suis attachée à vous, je vais vous trouver la maison de vos rêves. Elle arrivait le matin, nous montions dans l'auto, elle avait acheté des pâtisseries pour nous, elle avait un thermos rempli d'un café inoubliable, de petites bouteilles d'eau, et nous découvrions le Chelsea caché, le Kensington secret et le Notting Hill sous la ramure. Cinq visites par jours pendant un ou deux mois. Des cagades, ça, on en a vu. Des prix à pisser de rire aussi. Jasmine, disais-je, trouve-nous du vieux pourri dont personne ne veut, avec de l'espace. Elle nous regardait attendrie et murmurait : Mes chéris, je vous adore, vous êtes tellement français, buvez un peu d'eau minérale à cinq livres le flacon, vous allez adorer, les bulles sont si fines. It's free, c'est Jasmine qui régale. Ça ne sonnait pas exactement comme un compliment mais on buvait. On bouffait du gâteau iranien. On ne trouvait pas la perle rare. Parfois on n'était pas si loin du compte, mais à la deuxième visite, non Jasmine, franchement non. La chambre des enfants au sous-sol qui donne sur une cour de un mètre carré et demi exposée au nord, on n'a pas le courage de leur faire ça. Je sais, je sais qu'on est difficiles... Et hop ! En voiture direction Knigthbridge. Je connais une maison qui appartient à des Chinois, on va la voir en avant-première, c'est juste en face de Arr-odzz. Et là, se demander pourquoi les Français de France en pincent pour Harrod's. Mystère. Ils arrivent là, hébétés de joie, devant ce qui n'est qu'un grand magasin. Jamais les mêmes ne se mettraient dans un tel état en entrant à la Samar – Aaah ! la Samar ! L'âme de Paris à jamais disparue ! Son sous-sol ! Ses perceuses ! Ses vendeurs grincheux ! L'accent parigot ! – tandis

que chez Arr-odzz les Français photographie-
raient même les escaliers roulants.

Une blague anglaise : « Dans quel endroit de
Londres vous n'avez aucune chance de trouver
un Anglais ? Chez Harrod's. »

La maison de Knigthbridge ne nous a pas
plu.

Ce soir, nous sommes perplexes. Ce soir
encore, en allant faire des courses sur High
Street, nous traversons une sorte d'enclos calme
où j'ai repéré une vieille maison à moitié en
ruine. On aperçoit à l'arrière un grand jardin à
l'abandon.

Le temps passe. On devine chez Jasmine un
soupçon d'agacement : moins de gâteaux, moins
d'eau gazeuse. Nous continuons.

Quelques jours plus tard, très remontée,
notre guide nous appelle. J'ai trouvé ce que
vous m'avez demandé, je vous préviens, c'est du
Dickens. Jamais je n'oserais proposer ça à
d'autres clients, pardon, d'autres amis. Si bien
que, dans l'heure qui suivait, nous roulions vers
la rivière pour nous arrêter devant une façade
en mauvais état. Parfait, dis-je. Allons-y,
répond Jasmine, mettez vos masques. Les habitants sont là. Hello ! chantonne-t-elle, comme
si elle arrivait en retard pour un barbecue à
Windsor. Nous la suivons. Il fait noir dans la

turne. Je ne dis pas « turne » méchamment car c'était plutôt pire. Les troglodytes ayant niché là nous contemplent d'un air navré. Je sens un parfum de misère, un lourd parfum d'abandon. Celui de la maison « à Paulo ». Comment vous dire ? Les maisons de mon quartier avaient été construites à la hâte, à l'identique, en 1939. Il s'agissait d'« accueillir les réfugiés de l'exode ». Qui n'arrivèrent jamais. Si bien que s'installèrent là, après la guerre, les ouvriers agricole et leurs familles.

C'était un quartier plein de chiens, de vélos, avec des poteaux en bois surmontés d'ampoules faiblardes en guise d'éclairage urbain. Il y avait beaucoup d'enfants. Des voisins élevaient un cochon. Un grand du quartier voulait devenir coureur cycliste. Il faisait des tours et des tours du pâté de maisons sur le vélo de sa mère. Et quand il passait, la bouche crispée par l'effort, devant les petits enfants assis sur le trottoir, ceux-là hurlaient ensemble « Allez Vincent ! ». Et quand les mères curieuses mettaient la tête à la fenêtre, il y avait toujours une petite fille pour dire : « C'est ce con de Vincent qui s'entraîne. » C'était gai. J'ai puisé là le goût de la gaudriole. En ce temps-là, comment vous dire ? La classe ouvrière existait. Elle lavait à grande eau les oreilles des garçons, leur tondait la nuque, distribuait des mandales, accrochait des rubans dans les cheveux des fille en jupette et jupon blanc. La classe ouvrière étendait le linge sur le fil tendu dans la cour. Quoi encore ? Elle chantait du Dario Moreno. Elle échangeait des fèves du jardin, des tomates et des barbots truités pêchés par le papet contre rien. Elle mettait des chemises blanches impeccables le dimanche. Des lunettes de soleil, ce jour-là. Qu'on ne se trompe pas : je ne suis pas nostalgique. Non, non. Je me souviens.

Une seule famille pourtant avait lâché prise et sombré dans la catastrophe que tous les autres évitaient, au jour le jour. Cette famille, c'était celle de Paulo. Nous avions le même âge. Bien plus grand et large que moi, il était silencieux, doux, mais quand un dur voulait me filer une raclée parce que j'avais beaucoup de gueule et peu de muscles, Paulo se contentait d'avancer d'un pas. Tout rentrait dans l'ordre. Il était déjà, à cet âge, passablement mélancolique.

Quelquefois, j'allais chez lui. Il avait huit frères et sœurs, une mère épuisée à la voix éraillée de fumeuse. Les voisins disaient d'elle : « C'est une femme qui a une vie terrible. » Elle portait des blouses à fleurs sans manches, elle avait des yeux très bleus. La clope vissée au bec. Sa combinaison miteuse dépassait de sa blouse au niveau des mollets. Sans doute était-ce le signe de sa vie terrible. Elle riait d'un rire d'ogre. Elle avait eu ses enfants avec le même homme. Enfin, va savoir, disaient les voisines.

L'homme ? Petit, silencieux, portait un béret français à la mode « de pendant la guerre ». Penché sur le côté, comme un toit de remise où roupillent des outils oubliés. Il roulait à vélo, avec des sacoches molles. Le soir, saoul comme un cochon, manquant de tomber de sa machine, il rentrait de son travail de forçat. Quand il arrivait, lui et la mère à Paulo se foutaient des peignées comme au catch, les insultes en plus. C'est sans doute leur façon de s'aimer qui rendit Paulo mélancolique.

C'est cette odeur de misère que je reconnus en entrant dans la maison à Londres. L'odeur de la maison à Paulo. Plus tard, dans le village où je reviendrais toute ma vie, j'ai souvent croisé Paulo devenu sale et misérable. Je l'embrassais toujours comme un frère. Il répondait à ma question : « Ça va, ma vieille ? » par un haussement d'épaules, par ces mots sifflés à travers sa bouche sans dents : « On fait aller. » Il me manque. Parfois. Il est mort seul, affreusement vieilli, saoul comme son père, dans un recoin pareil à celui où il était né. Mort par un soir d'hiver comme dans la littérature – où peut-être un après-midi. Ce sont ses copains de café, cette brigade d'anges du désespoir, qui l'ont retrouvé, le visage fracassé sur le sol de l'unique pièce où il vivait, raide depuis plusieurs jours. Quelque temps après son enterrement, les anges certifiés sont allés en file indienne au cimetière chargés de bières pour boire sur sa tombe. Quand il ont été « perfectamente borrachos », ils ont fait couler de la mousse dans les jointures du caveau pour régaler Paulo, une dernière fois.

Pour en finir.

Voilà pourquoi, à Londres, dans ce trou de misère où j'ai vu ce couple au bout du rouleau, j'ai su où nous étions. Nous, Français, croyons que cet admirable pays n'a pas, ne peut pas avoir, caché dans ses entrailles, quelque pauvre au regard éteint, indifférent à l'étranger venu jusqu'à lui pour acheter son dernier bien au meilleur prix. Londres, Brigitte, ça sera Arrodzz, Sa Majesté et n'en parlons plus.

Jasmine s'active et sans vergogne, devant les habitants, essaie d'imaginer où l'on pourra « créer une masterbed room » Elle enjambe la pile de matelas tachés, de cartons couverts de sacs plastiques. Nous ne l'écoutons pas, nous ne sommes pas fiers. Salauds de riches. Nous fuyons. Plus tard, dans le silence feutré de la Mercedes, je confesse d'une voix calme que j'ai connu ces taudis. Autrefois. Notre Orientale des mille et une nuits répond doucement : « Oh ! Sorry... » La politesse ET la compassion. Je la sens perplexe. Ici comme ailleurs, l'aveu n'était pas souhaitable. Au mieux embarrassant...

Et puis, voici qu'à la mi-novembre notre Persane, dans un parfait tailleur noir, nous arrête devant la maison au jardin à l'abandon dont j'ai parlé plus haut. Ici aussi, dit-elle, il y aura du travail, elle n'est pas encore au catalogue. La maison n'est plus habitée depuis longtemps, ajoute-t-elle. Après avoir tourné un trousseau entier de clefs dans un sens puis dans l'autre, elle balance un grand coup de son escarpin Louboutin dans le bas de la porte d'entrée, qui cède. « Après vous », dit-elle humblement.

J'admire la manière.

Jasmine baisse les yeux.

Comment décrire la première impression que l'on éprouve quand on entre et que l'on sait à l'instant que c'est là ?

Cette maison, d'où je fais chanter ma machine à écrire, d'où je vous écris, est, au moment où nous la découvrons, endormie sous des couches d'oubli. Vieille anglaise délaissée, elle a connu son heure de gloire quand le monde entier découvrait le *swinging London*. Le fer forgé dans le « hall » accueillait des pots de fleurs. Pour faire joli. La moquette marron sur les murs raconte les années soixante. Ainsi que la cuisine, moderne, entièrement linoléum, où l'on ne mangeait pas encore puisque l'on n'y faisait que se nourrir. Le lave-linge des croisades et l'étendoir dans le couloir sont à leur place depuis trente-cinq ans. J'avais quitté le Midi pour Paris à la fin de cette époque. Je le retrouve à Londres à travers ses ex-nouveautés attendrissantes. Dans les chambres vides, il me semble entendre le Teppaz. Et Petula Clark. Les faïences de la salle de bains ont une couleur vert-bleu d'un culot inouï. Tout cela ressemble à l'idée de l'Angleterre que pouvait se faire un « jeune ». Un « yéyé ».

Jasmine nous entraîne à l'arrière, où un rosier poussif attend l'hiver. Le gazon est mal en point, et au fond du jardin un pommier long, mince, mêle ses branches à ceux des voisins. Il y a beaucoup de travail, ajoute Jasmine, et je ne réponds pas. Nous quittons les lieux. V. me surveille du coin de l'œil. Elle a compris.

Alors ?

Jusqu'à ce jour, nous étions des touristes améliorés. Des promeneurs. Nous n'avions, avec l'indigène, que de bonnes relations faites d'échanges de lieux communs sur les mérites comparés de nos mères patries. De la bricole. De la conversation ferroviaire entre personnes assurées de ne plus jamais se croiser.

Construire, ou réparer, ou seulement redonner du lustre à une vieille maison dans un pays qui ne POURRA JAMAIS être le vôtre, pour peu que ce pays soit justement l'Angleterre, qui ne veut pas entendre parler de système métrique – entre autres –, ressemble à de la folie furieuse.

Allez, allez, je n'étais pas si mécontent, j'allais retrouver l'odeur des sacs de ciment, mes quinze ans, José Martinez. J'espère seulement, mon Dieu, que je perdrai cette habitude désastreuse de me comporter comme la pauvre Remedios Martinez y Colchon.

Nous allions avoir une maison.

Comme des Anglais.

Le premier soir, me remémorant les volumes, j'entrai dans une frénésie de dessin. Je rêvais. Le Corbusier et Toyo Ito n'avaient qu'à bien se ternir. J'abattais ici, je reconstruisais là. La maison est sur l'emplacement d'une ancienne « terrasse » – c'est ici le nom d'un groupe de maisons jointes les unes aux autres – très Kensington, les photos anciennes en témoignent. Elle reçut en cadeau d'adieu une bombe allemande à la fin de la guerre. Soufflée, dévastée. Et reconstruite dans les années cinquante. On avait paré au plus pressé. Pas de colonnes et pas de porche. Pas d'ornements. Le valeureux peuple avait besoin de logements. La terrasse ex-victorienne prit désormais des allures d'emboîtement, modèle Bauhaus. On ne saurait s'en plaindre.

C'est strict. C'est large. Ça n'est pas exactement anglais. Les fenêtres à guillotine qui ne marchent jamais, on les a évitées aussi. Ainsi que l'ignoble basement, ce cul-de-basse-fosse humide où l'on entasse le personnel. Et puis, à l'arrière, il y a le jardin. J'y ferai sans doute un potager. Et du côté soleil, je planterai une vigne. Du muscat.

Je rêvais.

Dites, avec mon plan de maison entre les doigts, j'ai l'air de quoi, arc-bouté sur un croquis « d'artiste » ? Ça n'est pas un plan, ÇA.

Mais c'est ça.

Nous cherchâmes dans la presse spécialisée ce qui pourrait nous convenir à Londres en matière d'architecte. Jeune, pas connu. Non, David Adjayé, trop posh. Nous en voulions un qui nous ferait profiter de son talent pour une poignée de cerises, en collaboration avec un artiste de renom venu de Paris – rien que ça. Un qui accepterait de pondre le plan de nos rêves.

Nous en parlons à nos amis anglais.

Ali connaît un Persan dont on dit partout qu'il est le nouveau Foster. Mitch nous propose de dîner chez lui. Non, dîner chez lui ? ! Pour rencontrer un de ses amis qui, écoute, fais-moi confiance, Sean n'est pas cher et unique en son genre. Il y a quelque temps qu'il ne construit plus, mais fais-moi confiance, c'est un génie.

Ici, on pourra compter le nombre de fois où le mot « génie » est utilisé. Je le déplore aussi. On emploie ce mot en dépit de son sens. « C'est génial » revient pour tout, pour rien. Dans les années soixante, on utilisait « valable ». À Londres on dit « cool ». « C'est un génie » veut dire qu'il est cool. Simple, non ? En revanche, ne pas dire c'est un génie cool. Ça ne marche pas. Si, perdu chez Harrod's, vous demandez votre chemin à une vendeuse du rayon parfums, qu'elle vous indique que le rayon Perruques et postiches for men est au troisième, vous pouvez conclure par un simple thank you comme un nonspeaking. Mais le mieux est de lui dire avec un regard en dessous : « Cool »… Cool, c'est top cool.

Get it ?

Nous rencontrons l'architecte persan.

Il « vit et travaille » dans un quartier qui monte, monte : Shoreditch. L'est de la ville, où les « Artie's » ont élu domicile par troupeaux entiers, faisant ainsi reculer la classe ouvrière plus loin encore, à la limite des friches industrielles et des prés. Ah ben ouais, on leur achète leur maison pourrie, on repeint en blanc, un jacuzzi sur le toit. Et hop ! Ça vaut dix fois le prix !

Le jeune architecte nous fait visiter sa maison, construite avec un petit budget. Ça se voit. Puis, comme si de rien n'était, il demande où se trouve la nôtre, et là, quand il apprend le nom de la rue, ses yeux se changent en signe £. Nous lui expliquons que nous avons, nous aussi, un petit budget. Il pouffe dans sa barbe. Plus tard, nous comprendrons que la rue où nous allons habiter fait beaucoup d'effet aux Londoners — une sorte de rue Guynemer à Paris. Qu'il est impossible d'avoir acheté une maison, là, à un vil prix. Impossible. Je le comprends peu à peu en observant les riverains de ce qui est devenu notre rue. Nous avons débarqué dans un quartier huppé sans savoir, et si notre maison n'a pas trouvé d'acquéreur, c'est que, ouvrant la porte et découvrant l'état des lieux, l'épouse du barrister, du trader ou du galeriste, tous accros aux bonus record, aurait eu un petit haut-le-cœur : une femme de cette qualité refuse illico de mettre un escarpin dans un lieu aussi minable. Jacuzzi d'abord. C'est ça, le truc. Pas de jacuzzi ni de private gym au basement, t'es morte, Vicky. T'es personne. T'as plus de copines dignes de ce nom.

Par la suite, nous découvrons que, maison minable ou pas, un sac de plâtre livré par les mêmes mains dans différents quartiers de Londres n'a pas la même valeur. On ne construit pas au même prix selon que l'on est du côté de

Guermantes ou du côté des Groseille. C'est assez bien vu. C'est anglais. Souvenez-vous : main droite, hop, main gauche. Baudelaire, je crois, le disait des marchands…

Au dîner chez Mitch, ce fut différent.
Nous arrivons un poil en retard. Tout le monde est là. Notre hôte a fait un effort. L'architecte inconnu et génial nous attend. Il est là. Description ? Alors, voilà. À Londres, on indique que l'on appartient corps et âme au monde de la City en s'habillant de fines rayures. Certains jeunes agents immobiliers osent la rayure qui en impose, mais ils poussent trop l'avantage. Ils ont aussi tendance à se mettre du gel dans les cheveux à la mode de David Beckham (le joueur de snooker). Cette lourde faute de goût les empêche bien évidemment d'être confondu avec Ze banker de la City.
À Paris, l'architecte de renom s'habille en noir de pied en cap. Le noir pur du styliste japonais. L'architecte parisien a bien compris qu'il ne faut pas mégoter avec les codes vestimentaires. Quelques excentriques osent la chemise blanche. L'écharpe rouge. Chaque corps de métier adopte une sorte de panoplie à laquelle ne sauraient échapper ceux qui veulent adhérer au club. Faut s'y faire.
(Pour ouvrir ici une autre digression à propos des clubs, je dirai que j'ai été bluffé à

Londres de découvrir la crème de la crème. Le Butcher's Hall de Londres. Il appartient à de vrais bouchers qui servent Aberdeen Angus et grouses un peu partout en ville, la tête ornée du canotier format Renoir. Ceux-là, formidablement amicaux, en surpoids de cent kilos, tatoués comme des bagnards, le crâne rasé et les doigts ornés de bagues, portent le soir les fameux costards « stripe suit » pour se retrouver à la City. Dans leur club. Le plus fermé de la ville. Ou presque. Propriété de la profession. On y déguste d'époustouflants quartiers de viande sous des lambris hors d'âge. Et, disons-le, dans un décor où l'on ne s'attend pas à trouver des bouchers sapés. Impressionnant. C'est unique. Je ne suis pas membre du club des bouchers de Londres. Well...)

Donc, chez Mitch, notre architecte, n'a pas le costume noir, pas d'écharpe rouge. Pas la chemise blanche impec. Rien de tout cela. Il est venu avec sa femme. Bon, sa squaw... Ils ne vivent pas à Londres mais à cent cinquante miles de la ville. Sans doute ont-ils choisi le tepee. J'arrête, d'accord. Vous allez me trouver insupportable. Mais je suis embarrassé. Je voudrais leur demander si, avant de sombrer dans l'architecture, ils avaient, va savoir, un stand de shiloms hand made au marché hippie d'Ibiza. Le brave homme m'avoue qu'il n'a pas construit depuis longtemps et sa femme me sourit gentiment. Je les soupçonne de faire architecture ET massage macrobio. Ou poterie organic. Je me dis que, à faire cent cinquante miles, tous les matins, pour venir sur notre chantier, en vélo écolo avec selle en fibres de patates, il lui faudra plus que du courage. À moins qu'il n'ait décidé de planter le tepee dans le chantier. Who knows ? Il me sourit. Il a compris. Je me sens malheureux. Mitch fait des efforts. Pris à part, je lui demande : « Un parent, peut-être ? » Et comme il est très british, il sourit. Ce qui vaut, ici, pour un bon éclat de rire. Mon vieil ami se fait une idée un peu convenue de ce que nous sommes. Là encore, je devrais m'y faire.

Nous louons, maintenant. À quelque cinq minutes de notre future maison. Dans un petit immeuble. Nous sommes établis au premier étage. C'est de plain-pied. Vide. Et comme nous n'avons pas encore de meubles…

Nos fenêtres ouvrent sur la plus charmante rue que l'on puisse imaginer. Sur le côté gauche, une maternelle spéciale « mamans-stiletos ». Nous passerons onze mois dans les lieux. Nous aurons des voisins indiens de Bangalore et dans les étages des voisins anglais. L'entrée ressemble à la réplique d'un paquebot des années trente pour un feuilleton sans budget sur FR3. L'atmosphère est feutrée. On a doublé le Digicode par un duo de gardiens : Mr Spike, gardien chef, et Mr Slump, gardien adjoint. Le matin, ma fille qui part au « Lees », autrement dit le lycée français, croise Mr Slump sur le perron, le balai à la main. Je salue Mr Slump : Morning, Mr Slump, how are you ? Auquel il répond : « I'm good, thank you. » C'est clair, net, ça ne déborde pas. Mr Slump est petit, maigre, un poil rigide. Il n'apprécie que très modérément l'humour français. Rappelez-vous, pour un Anglais, les Français en sont définitivement dépourvus. Mr Slump a ramené de Thaïlande une épouse qui vit dans le basement. Que personne ne voit jamais. Une femme karen héroïque. Que mes enfants baptisent Carinne immédiatement. Slump et Carinne habitent un trou, trois mètres au-dessous de la rue, près des poubelles. Mr Spike est gros, il parle de Mr Slump en l'appelant toujours « Mr Slump, my assistant ». C'est d'un chic renversant. Les deux portiers portent des chemises blanches à manches courtes été comme hiver. Au troisième étage vivent des femmes voilées. Du noir, du noir, du noir, plus des yeux au khôl. Très beaux yeux noirs. Nos voisines de palier indiennes, moins voilées, nous saluent en refermant la porte comme si elles craignaient la police politique.

Qu'ajouter ? Il y a un an et plus maintenant, nous arrivions dans ce pays de cocagne...

Assis dans le salon près des fenêtres, dans l'exact alignement de la rue adjacente, je regarde tomber les premières feuilles des bouleaux. Légères, petites, jaunes, pâles. Elles dansent dans la lumière. De minuscules toupies. Des confettis au souffle du vent d'ouest. Je suis loin de Paris que j'aime. Je ne suis pas un touriste. Je vis ici. Nous aurons bientôt une maison. Par-dessus les toits, la coupole de la tour de King's College ressemble à celle du Panthéon. De temps à autre, une belle voiture remonte la rue. Lentement. « *Mais de quoi l'instant présent était-il fait...* », dirait Virginia Woolf. Il serait temps de faire quelque chose de ma vie. Ici. Oui, mais quoi ? Je ne sais pas. « Tout ça » me fatigue. J'ai l'impression que mon tour est passé.

Pourtant, j'aurais tant de choses merveilleuses à proposer à mes frères humains (...). Bon, je devrais essayer de « travailler ». Les McDo cherchent du personnel. Je peux aussi faire un truc « d'artiste » : tous les matins à la même heure, de la même place, une photo Polaroïd de la même rue avec des indications écrites (en vidéo, of course) de ce qui s'est passé au même moment de l'autre côté de la terre... Cool, arty, imparable.

Ou encore « créer » un groupe de rock ? Je ne connais toujours pas Paul McCartney. Ses conseils me seraient précieux. J'ai joué du mélodica quand j'avais dix ans… Je ne peux pas être trader à la City, n'est-ce pas ? Je mélange au fond de ma poche les livres et les euros. Ouvrir un restaurant indien spicy ? Porter un turban donne des otites à répétition, à ce qu'il paraît. Donner des cours de bédé ? Personne ne sait ce que c'est, ici. Il me reste le baby-sitting ou la promenade quotidienne de chiens-chiens en grappe. Ah ! pas mal, ça ! Un monsieur chiens-chiens en route pour Hyde Park. Un monsieur chiens-chiens, ex-Français, tirant sur six ou sept laisses et serrant dans sa patte le sac en plastique à futurs cadeaux. Telles étaient, en quelques mots, les glorieuses pensées qui tourbillonnaient dans ma cervelle faiblarde tandis que tourbillonnaient les feuilles de bouleau.

Écrire sur Londres, oui, mais oui, bien sûr. Et quelle est votre expertise ? Ben… Je peux tenter de me faire passer pour un ex de la bédé, du cinéma, de la littérature. Un retraité. Alors quoi, j'irais sur un banc « in memoriam » de Holland Park. Je distribuerais des cacahouètes aux écureuils. Je copinerais avec des mamies anglaises. On évoquerait le bon vieux temps. Espérons qu'une d'entre elle, ancienne punk reconvertie dans le squirrel-fooding, connaîtra

Paul (McCartney) et m'invitera à un goûter avec lui. Que je ne sois pas venu à Londres pour des cacahouètes.

On le voit bien, il n'est pas simple d'être loin de ses repères. Il faut être docile, patient. Et je suis impatient. Il est plus commode, en quittant sa patrie, d'oublier presque tout ce que vous avez appris. Et je me souviens. Alors qu'il vivait encore en France, Mitch m'avoua un jour que les deux vers « Ah ! qu'il est laid, le débit de lait ! Ah ! qu'il est beau le débit de l'eau » le laisseraient à jamais perplexe. Qu'il fallait être français pour aimer ça.

Nous y sommes.

Rire à la rupture de la phrase, là, exactement là où rient les indigènes, exige un long apprentissage. Un effort impossible. Car si l'étranger ne s'amuse pas des mêmes choses que les natives, c'est qu'il lui manque une clef fondamentale : les « nursery rimes ». Voir Trenet que chantait ma mère. Autrement dit, les comptines d'enfance, celles qui embaument le lait de la langue maternelle. Il devra aussi danser autour du feu avec la femme du chef. Se sentir ridicule, déplacé, le visage peint, puis se fondre dans la forêt. Dans le groupe. Appartenir à la tribu qui va au pub. Il faut un peu de temps. Cela fait marcher un hémisphère du cerveau, celui dont on ne se sert jamais, dit-on.

Est-ce que je m'habitue aux briques ?

Dans le pas de l'humble et bileuse Remedios Martinez y Colchon, je découvre London. Bientôt, de Richmond à Shoreditch en passant au nord par Hampstead, j'aurai compris la géographie de la ville. Je ne parle pas, bien sûr, de Chelsea, de Belgravia, de Mayfair. Non, non, du facile, ça. Soho facile, Marylebone easy. Bientôt, je ne dirai plus comme mes pauvres amis français, Glou-ces-ter mais « Glas'teu », et plus Mary-le-bone mais « Mail'beu ». Ça oui, ça sera le signe. J'aurai enfin tordu le cou au souvenir de ma cousine Plume qui m'obligeait à répéter « It's been a hard day's night ». C'est la langue qui vous autorise, la façon dont vous l'utilisez, la façon dont elle chante, murmure à votre oreille. Ah, parfois, ça a été le soir d'une dure journée. N'est pas Beatle qui veut. J'apprends, j'apprends…

C'est long.

Enfin ! L'architecte, nous l'avons. Notre archi. Accent posh (chic). Très très anglais mais mieux. Il est d'origine arménienne et il parle français. Même s'il n'en abuse pas. Il a passé quinze ans à la droite de Richard Rogers. Autant dire Dieu le père. Il ne construit pas pour des particuliers. Why ? Le client est souvent difficile et sa femme a toujours un goût hasardeux. Bref, il préfère les tours à Houston.

Les aéroports en Asie. Les resorts au Balout-chistan oriental. Je lui ai tendu mon « petit dessin » d'artiste. Il le regarde. Il me le rend. Il dit : Tu n'as pas besoin d'un archi, c'est très bien, ÇA... Je me tais. Il se tait. On s'est compris.

Il me rappellera le lendemain.

Il dessinera notre maison dans l'esprit du petit dessin. On dînera ensemble. Souvent. Sa femme et V. deviendront amies. De Paris, on m'expliquera que l'on se fâche toujours avec son architecte. Ombre au tableau, lui non plus ne connaît pas Paul McCartney. J'ai vraiment pas de bol, je vous dis.

Et puis Philip nous présentera un « landscaper », autrement dit un jardinier. Lui non plus ne connaît pas Macca, mais il connaît Sa Majesté. Todd est très grand, très calme. Il porte des « jumpers » troués aux manches. Roule à scooter. Habite dans le Londonistan une maison du XVIIIᵉ siècle qui n'a pas été repeinte depuis ce temps-là. Son jardin époustouflant déborde sur la rue, par-dessus les murs. Il a deux chiens bassets, très bas, et un camarade de jeu qui partage sa vie et son goût des bustes en marbre. Amazing. Bref, il est très allumé. Et très calme. Je me répète, non ?

Avec ces deux-là, nous fîmes une première plongée dans le mental, le cerveau reptilien british, et ce fut *interesting*. Pour tout vous dire, pour vous donner une clef, voici ce qu'il convient de ne pas faire *tout de suite* : jeter sur la table les sympathiques qualités françaises que sont la morgue, la suffisance, le « moi, je… » — attendez, je sais de quoi il retourne, j'ai fait le championnat d'Ile-de-France. Inutile de déballer aussi vos fabuleuses couilles sur le plateau à dessert dans un grand geste brillant et alerte, car l'Anglais vous observera dans un silence fatigué. Vous n'obtiendrez de lui que l'incontournable « interesting » cité juste au-dessus.

Pourquoi ? Disons qu'il nous est difficile d'être aussi réservés, détachés qu'ils le paraissent. Ne dire qu'une fois, une seule, ce dont nous avons envie est une épreuve. Nous aimons répéter. Nous sommes un peuple inquiet. Nous voulons savoir qui nous avons en face de nous. Oh ! Vous êtes sûrement un type passionnant. Et je m'y connais. Un Anglais ne peut jamais dire ça. Particulièrement le « je m'y connais ». Humble d'abord.

À Paris, lorsqu'on me demandait ma profession, je bafouillais, embarrassé : « C'est l'heure des questions privées… » Moyen parfait de se faire une réputation désastreuse. À Londres, personne ne s'égarera à vous demander : « Alors ? Dites-moi tout, dans quel secteur êtes-vous ? L'enseignement ? Supérieur ? » Ici, les gens qui vous adressent la parole ont *une fiche* sur vous. Mieux, ils ont reconnu au premier mot l'accent de Sevenoaks ou de l'autre public school où vos parents vous ont abandonné vers vos dix ans en gazouillant : « Bye bye, baby, Papah and Mammah vont aller faire du tourisme en Italie pour les années à venir. Tâche pendant ce temps d'avoir un diplôme ! Reviens-nous adulte ! Eh ? Vis ta vie, mon garçon ! » Ce traitement trempe le caractère. Il vous apprend à jouer en équipe, à vous rouler dans la boue même si vous détestez le rugby, à faire un nœud de cravate Windsor même si vous êtes convaincu d'être le futur Eminem et, on y arrive, à ne jamais poser, jamais, aucune question personnelle. C'est l'apprentissage de la « privacy » sur laquelle toute la société anglaise est fondée. Cette règle est commune à toutes les couches de la société. Qui a déjà pris un taxi à Londres sait combien le driver est discret. Et si, pour avoir l'air cool, vous tentez un mot d'humour, une blague, le chauffeur, sans être arrogant, vous répondra par un mot d'humour.

Ce jour-là, le chauffeur est vieux, un Ramsès sorti du tombeau, je cherche la monnaie et lui lance d'un air mi-amusé, mi-dégoûté : Pourquoi c'est si cher ? Il sourit. Il a compris que j'étais français et rétorque : Parce qu'on a gagné les jeux Olympiques. Il ajoute, rigolard : So sorry...

C'est drôle. Il n'est pas sorry du tout.

Pour pouvoir commencer un chantier, il faut le « désamianter ». Peu importe que vous n'ayez qu'un petit mètre de canalisation couverte d'une fine carcasse de ces matières isothermes dont on fut si friand dans les années soixante. Peu importe que vous proposiez de l'enlever vous-même, fort de votre passif de grouillot du bâtiment. Personne ne vous autorisera à toucher un produit aussi dangereux. Ici aussi, comme en France, les malins sont dans le fromage. Ce qui prendrait trois minutes, bon, allez, une demi-heure, prendra trois semaines. Il faut des spé-cia-lis-tes. D'ailleurs les voici. C'est indiqué sur les parois de leur camion. Ils sont concentrés. Ils font l'état des lieux. Ils vont préparer « un devis ». On ne vous avait pas prévenu.

Bienvenue en Angleterre, vous allez découvrir le club des gros malins.

On m'objectera que Peter Mayle avec son année en Provence nous a tartiné à propos des plombiers français. Sachez qu'ici, mes amis, il n'y a pas de plombier anglais. Ils sont polonais. Ah bon ? Ici aussi ? Oui, mais le Polonais qui tient la clef de douze, s'il est polonais fraîchement débarqué, travaille pour un autre Polonais déjà sur place depuis un an au moins, qui travaille pour un Anglais malin de Birmingham qui travaille lui-même pour un autre Anglais bien plus malin de Camden, berceau de la classe ouvrière. Qui ne sait pas où est le chantier mais qui connaît parfaitement l'endroit où il doit envoyer la facture. Comme l'addition a augmenté quatre fois entre la clef et la facture, pas de doute, vous êtes en Angleterre, pays du trading.

Un mois plus tard, le devis des « amiante-busters » arrive... Nous tombons à la renverse. Je demande à l'architecte : « C'est une blague ? » Il a l'air désolé. So sorry. Faut y passer. Cool.

Ainsi, après de nombreux coup de téléphone, de vaines menaces qui auraient fait pleurer Kim Jong-il, les « amiante-busters » sont de retour dans la maison. Ils sont anglais. Les « spécialistes », experts en tâches dangereuses pour le porte-monnaie du client, sont toujours anglais.

Ça commence comme ça : d'abord, aller chercher un sandwich et une bière. Le temps de trouver le *Prêt-à-manger*, ils reviendront une demi-heure plus tard. Mais alors, que faire lorsqu'on a une bière et un sandwich dans les mains ? On s'installe sur le chantier et on casse la croûte. Dès que ça va mieux, comptons une bonne demi-heure de plus, ils disparaissent dans le camion. Meeting en direct par satellite avec le High Commandement ? Prières intenses au saint patron des chasseurs d'amiante ? Sieste ? Déjà ? Ils sortiront, disons, plus tard, avec des panoplies de la Nasa. Il est l'heure de dégager le champ opératoire, non ? L'heure ? What ? No, no, no, sorry. Ça, c'est prévu pour demain. Ils poseront délicatement, dans un coin du chantier protégé par des panneaux et des cordons sanitaires de couleur, les bâches en plastique destinées à la protection générale, l'ensemble des instruments de haute précision nécessaires : un marteau à la con, un pied-de-biche, des sacs-poubelle. Plus des packs de bière. C'est fait, Andy ? C'est fait.

Au revoir messieurs dames, on revient demain – si Dieu le veut. On n'ose faire remarquer à ces héros qu'on est à peine en début d'après-midi. On ne sait jamais, si Dieu ne le voulait pas, demain, on pourrait les attendre encore. Nous pensions être tombés sur les plus tocards : erreur, il existe bien des variantes.

À vrai dire, dès la première année, nous avions eu un avant-goût des délices à classer dans la rubrique « C'est rien, juste une petite panne » : chez Bee von Kouglow, le jour où la chaudière nous avait lâchés au cœur de l'hiver. Prévenue alors que, au cœur de l'été austral, elle chevauchait de purs pur-sang argentins, Bee, tellement emmerdée qu'on vienne l'emmerder pendant ces heures de rêve, nous avait, d'une petite voix contrite, proposé d'appeler les « Pimlico's plumbers », bien connus d'elle pour leurs prix exhorbitants. Elle n'allait tout de même pas chevaucher jusqu'à Londres pour nous sauver.

Comme les amiante-busters, les Pimlico's arrivent dans un van rutilant et entrent dans la maison avec la mine de Jack dans *24 Hours*, le feuilleton. Si Jack Bauer est mince, les Pimlico's, eux, sont en surpoids et tatoués. Ils portent des salopettes blanches comme à la Nasa avec le logo maison dans le dos. Du plus bel effet. Il y a « l'ingénieur » et ses aides. Futurs ingénieurs. On sent à leur attitude qu'avant d'être futurs ingénieurs ils furent longtemps branleurs face à la pompe à bière au pub du coin. Mais bon, on n'allait pas leur demander leurs diplômes. Le Français est tellement arrogant. On ne le dira jamais assez. Les gars ont l'accent de la zone. Le temps de voir la chaudière, ils retournent s'enfermer dans leur camion. Allô-allô, Houston ? Comme les amiante-busters, ils n'en sortiront qu'une bonne heure plus tard. Avec une clef. Anglaise. Retour vers la chaudière (ceux qui connaissent la musique de *Ghostbusters* pourront la rajouter mentalement). L'ingénieur a l'air soucieux. Le décollage est-il toujours au programme ? Je me demande si un tour de clef sur un robinet de délestage que j'ai repéré au-dessous de la machine ne libérerait pas la pression… mais bon, de quoi je me mêle ? J'ai osé – toujours l'arrogance française – accompagner le team jusqu'au pied de la passerelle, je veux dire le placard où se trouve la chaudière. Je les embarrasse. Faire décoller une navette ou faire redémarrer une chaudière dans une maison où le thermomètre ne dépasse pas huit degrés ne nécessite pas les vivats du public à chaque intervention. Alors, il me vient une idée. Je cherche le regard fuyant du « chef ingénieur », lui adresse un bon clin d'œil et lui dis haut et fort : Thé ou café ? Et là... Miracle. La clef anglaise disparaît immédiatement dans sa poche, les futurs ingénieurs retrouvent un bon sourire.

Nous sommes restés dans la cuisine, loin de cette chaudière qui pourrissait la vie de tout le monde, assis autour de la machine à café. Why ? Cantona. Get it ? Éric. Je mesure en cette occasion le bien immense qu'a fait à l'image française déplorable le maillot n° 9 de Liverpool. Les plombiers ont voulu tout savoir à propos de la France. Est-ce qu'acheter une maison dans le Sud-Ouest est facile ? Y a-t-il des écoles anglaises en France pour y mettre les enfants qui ne mangent QUE les toasts aux haricots en boîte ? Est-on obligé de parler français en France ? Je réponds chaque fois avec une précision diabolique. Ils rient. On se doutait que vous n'étiez pas anglais parce qu'un Anglais n'aurait jamais foutu la tête dans le placard à chaudière. Je rosis de plaisir. Les fantômes de mes ancêtres prolétaires me regardent l'œil humide. Je propose une bière. À eux de rosir. Non, non, disent-ils, on a du travail (?!?). Go on, Jamie, dit le boss, va donc filer un tour de clef *temporary* dans ce foutu placard. Il m'adresse un clin d'œil (le même que le mien). Il a compris que ça n'est pas moi qui paye la note. On parlera de foot. Je dis que le foot est anglais. Que ça ne se discute pas. Ils ronronnent. On est amis. Les Pimlico's reviendront le lendemain, pour finir le job, donner un tour de clef définitif, si vous préférez… Pour un peu, on se donnerait l'accolade. De vrais chics types. Inefficaces. Sans illusions. Rigolards et malins comme des singes. L'addition ? Royale. Ce qui est normal dans un royaume.

Cela fut mon premier contact avec la classe ouvrière anglaise. Celle qui achète des places dans les corners des stades de Chelsea ou Arsenal. Qui chante « Stand up if you hate Scotland » même quand il n'y a pas un seul Écossais dans le stade. Qui ne croit pas à l'ascenseur social. Qui sait qu'on déconne assez entre soi sans avoir à se préoccuper de savoir qui fouette le cul des veinards upper class. Qui regarde passer les Bentley sans éprouver un frisson de haine. Qui pense que ce sont de sacrées bonnes bagnoles. Anglaises.

Même si elles ne le sont plus.

Anglaises.

C'est par ce comportement souple que l'on arrive à survivre loin de sa terre natale. Les natives à qui vous vous adresserez ne savent de vous que les lieux communs, les redites sur vos défauts, vos sales manières. Pour se faire aimer d'eux, il est plus adroit d'être neutre. Sans caractère. Et de ne jamais donner son avis.

C'est ce que, sans trop d'efforts, j'arrivais à faire durant l'année où nous vécûmes dans le petit appartement. Jusqu'au jour où, c'était inévitable, je fus d'une grande maladresse.

À ce moment-là, je ne suis plus, quelle fierté, un étranger pour Mr Slump, qui répond à mon salut matinal d'un martial : « You good ? » Et même, lorsque perce un rayon de soleil, d'un : « Good-good. » On le constate, je progresse à pas de géant. J'ai décidé de faire du sport. J'ai acheté un vélo. Plutôt que de le parquer dans l'appartement à la mode américaine, je me dis que, maintenant que Mr Slump et moi sommes quasi intimes, je peux lui demander s'il n'y a pas une solution du côté des caves. Et voici qu'un matin je m'arrête devant le gardien assistant : « Mr Slump ? I need to talk to you. Je viens d'acheter un vélo. Pensez-vous, Mr Slump, qu'il y aurait pour lui, qui est gentil, qui ne pleure pas la nuit, une place dans la cave, le parking, etc. ? Mr Slump ? » Mr Slump lève la

tête, son regard s'échappe. Loin. Il est aba-
sourdi.

Il ne s'attendait pas à « ça ». Un affreux
silence nous sépare désormais. Dans un froisse-
ment d'ailes, un vol de pigeons apeurés abandonne un fil électrique. La course de petits
enfants en retard martèle le trottoir. Ils poussent la porte de l'école maternelle d'en face et
leurs mamans porschées, le cheveux long libre
sur l'épaule, repartent dare-dare vers une
enviable vie d'épouse de barrister. Je suis là,
vous l'avez compris, dans un film noir anglais
de deuxième catégorie, un truc louche, avec
moi en Peter Lore suppliant. Car Mr Slump
hésite. J'aperçois dans ses yeux clairs une lueur
de dégoût. Qu'inspire l'inouï culot français. « Si
c'est possible. Sorry for that », m'empressai-je
d'ajouter, rouge jusqu'aux oreilles. Alors ? Mr
Slump reprit son balai. Quelque chose s'est
passé. Marche arrière impossible. J'avais franchi
la limite admise sur ce bord du Channel.

Les Français ? Aucunes manières.

Voilà. Oh ! oh ! On le sait bien, ici…

Une interminable pose, et puis : « Je vais voir
ce que je peux faire », grommelle Slump mili-
tairement. L'entretien est terminé. Je suis épuisé,
déçu. Comment un gardien avec qui j'entrete-
nais des relations aussi cordiales peut-il se montrer soudain si réservé ? Je m'en veux. J'ai été
maladroit. Je passerai une journée désagréable.

Loin de sa terre natale, on se sent si fragile.
Tenez, en France, par exemple, j'aurais sans
hésiter accroché mon vélo à la grille de fenêtre
de mon voisin, sans rien lui demander, bien sûr.
Et s'il m'avait agressé en me reprochant d'avoir
mis mon putain de vélo accroché avec un cade-
nas indestructible devant son salon exprès pour
l'empêcher de fermer ses volets au soir venu,
cela aurait donné lieu à une belle engueulade
dont nous, Français, avons le secret. Personne
n'aurait été sorry de rien, ni même so so sorry.
Ces algarades sont le signe d'une grande civilisation, d'un peuple qui se parle, même quand
il s'engueule. Ici ?
Rien. La politesse.
Rien d'autre.

Vint le soir.
Ma nouvelle prof d'anglais pousse la porte en
trombe. Je l'aime beaucoup, elle a décidé de me
prendre en main, elle me bouscule. Je lui
explique l'affaire Slump. Elle réfléchit. Elle dit :
« Si d'ici l'an prochain ton gardien n'a pas
répondu à ta question, considère que c'est une
affaire classée. » Mary est sage. De temps à
autre, elle me demande si, au fond, j'ai envie de
m'intégrer. Hum, just tell me ? Mary est la première Anglaise à me faire rire. Elle a épousé un
musicien de jazz qui roupille toute la journée
tandis qu'elle va, pour gagner leur croûte, à

travers la ville apprendre sa langue à des ina-
daptés de mon genre. Je lui demande ce qui,
pour elle, symbolise l'Angleterre. Un instant,
son regard s'attarde vers les feuilles de bouleau
qui continuent à tourbillonner, et sa réponse,
charmante, arrive : « Les arbres. En regardant
un arbre, je saurai toujours si je suis ou non
dans mon pays. »

Et c'est vrai, les arbres d'ici sont remarquables. On ne les taille ni ne les bouscule. Si
un platane tricentenaire défonce la clôture d'un
jardin, eh bien on la déplacera. Voilà pourquoi
les parcs à Londres sont si paisibles. Personne
ne s'aviserait de couper ici ou là la moindre
branche. Si l'un des bras de ces géants frôle le
toit du bus double-deck, on élague juste ce qu'il
faut. Un peuple qui aime les arbres n'est pas
totalement mauvais.

Dans mon village du Midi, village-rue, on
avait planté quelques siècles plus tôt une longue
ligne de platanes. On avait ensuite construit
l'école communale de garçons où j'allais enfant
serrant la main de ma mère. L'été pouvait être
brûlant, le feuillage formait un parasol magnifique, on entrait dans le cœur du village sous
un tunnel vert tendre. En novembre, les écoliers
poussaient devant eux un épais tapis de feuilles
mortes. Puis est venu le temps de la bagnole
pour tous. Il fallut des parkings. Oui, oui,

même dans mon Sud natal. Les « mamans » à 4 × 4 ont gagné. Les platanes n'y ont pas résisté : rasés, allez hop !

Todd est venu aujourd'hui.

Il édite une revue, *The London Gardener*. On y cause de jardin. Nous avons à inventer le nôtre à l'arrière de la maison. Todd nous fait découvrir des jardins anglais fameux, des jardiniers anglais. Des tronches. Un monde s'ouvre devant nous. Nous passerons le printemps suivant à visiter des enclos, des parcs, des jardins botaniques. Nous serons impressionnés au-delà de ce que nous pouvions imaginer. Le vert anglais est une révélation. Pour un Méditerranéen, un jardin sans cyprès, sans palmiers, sans figuiers, sans point de vue sur la mer, ne mérite pas le coup d'œil. Ici, rien du tout, et ça marche. Todd aux pulls troués m'explique que si le jardinier français commence par prendre une règle et une équerre pour tracer les allées, les massifs et les dentelles de buis, dans ce pays un champ suffit, l'Anglais y lance des graines au hasard et s'il y a un cours d'eau il construira un pont. Voilà. Done. Ensuite, dit Todd, on peut améliorer le hasard. Comme l'architecte, il parle français, comme lui, il n'en abuse pas. Il connaît le nom des plantes dans les deux langues. La conversation est passionnante.

Je vous ai dit que ma grand-mère n'avait pas l'eau courante ? J'avais cinq ans, je l'accompagnais à la fontaine, au bout d'une rue en terre battue comme on en voit dans les premiers films de Charlot. Elle prenait un grand seau, chantonnait en chemin : « Saint Siméon protégez-nous. » Au point d'eau, elle me demandait de tourner la manivelle. Les guêpes venaient boire. Le seau se remplissait. De l'autre côté du chemin, bordé d'un haut mur, de grands pins chantaient, caressés par la tramontane. Derrière, c'était le parc Bousquet que l'on pouvait entrevoir à travers la grille d'entrée. Les Bousquet étaient riches comme la mer, disait-on. Et, malgré ça, des gens bien, rappelait toujours ma grand-mère. Ils avaient eu trois filles, deux jolies comme des cœurs et la dernière, un peu maladive. On murmurait qu'elle n'irait pas loin. Sur la pointe des pieds, m'accrochant aux barreaux du portail, je regardais le parc secret. Ses énormes massifs de rosiers. Ses statues. Ses topiaires. Jamais on ne voyait la petite Julienne Bousquet qui « n'irait pas loin ». J'étais intrigué. La classe ouvrière, quand elle avait un jardin, c'était pour les tomates et les melons... Les fleurs, les géraniums, les bégonias, tout ça allait dans des pots, devant la porte. Tout le monde peut comprendre ça...

Ainsi, quand j'ai proposé à Todd de faire un jardin potager, il a souri. Nous n'habitons pas une rue où l'on fait pousser des légumes, non. Ici, les gens vont les acheter à un prix fou chez Whole Food, organic of course. C'est la coutume.

En avançant dans cette affaire de jardin, nous avons découvert les parcs de Londres. Richmond, à l'ouest, a les plus beaux chênes que l'on puisse voir, groupés, puissants, une armée échappée d'une pièce de Shakespeare. Et plus loin, à ne pas manquer, cette boucle de la rivière depuis Richmond Hills, ce coteau refuge de bienheureux Londoners ayant eu quelque gloire dans le showbiz. Admirable haut balcon sur la Tamise où il faut s'être accoudé à la tombée du jour pour goûter la douce lumière anglaise. Hampstead, au nord, regarde la City un peu à la façon dont Saint-Cloud regarde la tour Eiffel, mais il a plus de creux, de bosses, et cette incroyable lac où, l'été, les membres d'un club, qui fait penser à la cabane Bambou Bambou de l'inoubliable Mayol, se baignent à poil.

Kew Garden a la préférence des amateurs, avec sa serre où viennent déjeuner des expertes en graines bio, délicates végétariennes, soucieuses de leur transit, escortées d'hommes dociles qui s'ennuient ferme et s'envoient d'imbuvables litrons de blanc du Nouveau

Monde. Notre favori – nous sommes *members* – est le Chelsea Physical Garden, aux espèces rares, petit et rempli d'Anglaises du quartier qui semblent sorties tout droit des Civil Guards de la guerre.

Enfin, je manquerai à mon devoir si je ne vous parlais pas de Holland Park, que j'aime.

J'écris par une belle fin d'après-midi de mai. De la table où je m'agite, j'entends le vent du sud brasser les feuillages. Le grand vent. Que Michelangelo Antonioni avait lui aussi entendu dans les arbres de Holland Park. Et qu'il avait su poser avec beaucoup de finesse sur la pellicule de *Blow up,* ce film mélancolique qui m'avait épaté quand j'avais dix-huit ans. Ainsi, la première fois que j'ai traversé ce parc, j'ai cherché le fameux court de tennis du film. Il est là. Et je ne l'ai pas reconnu. Comment dire ? Seul le frisson dans les arbres n'avait pas changé. Je suis revenu bien des fois dans Holland Park, escorté de mon fils désolé de n'avoir pas un père à sa mesure, un piètre amateur de course après un ballon de foot. Que c'est triste. Je le confesse, je suis un père « nul ». Je ne cours plus, voilà. C'est une affaire entendue. Je me promène. Difficile d'expliquer à un garçon de quatorze ans que j'ai rendez-vous ici avec le vent entendu dans un film, trente-cinq ans plus tôt.

Parmi les adolescents de mon âge, ceux qui n'avaient pas choisi de suivre Che Guevara ou McCartney rêvaient de s'offrir un Hasselblad. Comme celui de David Bailey, photographe qui servit de modèle à Antonioni. Bailey et son appareil photo 6 × 6 de légende, d'une légèreté d'armoire à glace et au clic-clac rock 'n roll. Bref, l'accessoire. Qui faisait baver d'envie les jeunes écervelés décidés « à coucher avec des mannequins suédoises » au prétexte d'un goût violent pour la photo de mode. Clic-clac, par ici les filles. Jane Birkin à ma droite, s'il vous plaît.

À vrai dire, ce furent moins les exploits d'un jeune homme anglais couvert de teenageuses qui m'impressionnèrent, que le souffle du vent du soir dans le feuillage de Holland Park.

Sensation de vide, absence, découverte d'un regard oblique, projeté au cinéma de mon village où, assis parmi ceux de ma tribu – assez éloignée, somme toute, de pratiques anglaises revisitées par un cinéaste italien –, je subodorais qu'il existait quelque part des mondes différents du mien.

Et Hyde Park, alors ? Ça compte pour des prunes ? On croirait une vieille pute qui en a beaucoup vu. Des fêtes à Neuneu pop ou disco, va savoir. Des dimanches ensoleillés où le Pakistanais joue au foot sur la pelouse non loin de ses épouses voilées. Le corner où le futur Hitler vient haranguer la foule qui s'en fout. Des allées, des contre-allées, des horse guards aux chevaux paisibles. Des fauteuils métalliques çà et là. Un orchestre dans un kiosque. Des Anglais, des Anglaises en grappes, allongés dans l'herbe.

Hyde Park où la Serpentine serpente de Kensington Garden jusqu'à Knightbridge et plus loin. Avec ses pédalos minables. Ses canards. Ses poules d'eau. Ses sarcelles. Ses colverts. Ses cygnes. Ses mouettes. Son hideux Diana Memory Park. Et puis, au milieu de pas grand-chose, comme souvent dans ce pays, une rareté : le Serpentine Swimming Club. Quoi ! On se baigne là-dedans ? Eh oui. L'eau est fraîche ? Glacée, agrémentée de plumes de canard. Qui fait ça ? La première fois, en passant par là, j'y ai vu une mémé anglaise, une vieille dame en maillot qui, de son pas de mémé âgée, sortait du club pour rejoindre le périmètre réservé à la piscine. Il faisait froid. J'ai pensé, lâchement, que sauver une old lady anglaise de la noyade me permettrait, peut-être, d'avoir un portrait dans le *Financial Time* du week-end et une lettre de félicitation de Paul McCartney. La perspective de me foutre à l'eau par sept degrés ne m'enchantait toutefois pas. Après avoir mouillé ses épaules, la vieille dame s'est allongée dans la rivière parmi les plumes. Elle a fait un cent mètres tranquille, aller, retour, sans broncher. Puis elle est rentrée. Dans le club. Pour se foutre un gorgeon de porto derrière la cravate ? Who knows ? Une Anglaise. Cent mètres. Dans l'eau avec des duvets flottants qui peuvent vous rentrer dans la bouche à tout moment. Et vous étouffer. Cool. L'indigène n'a jamais froid. On m'explique que les collèges où il a passé son enfance ne sont jamais chauffés et que ce pays a le record du monde de rhumatismes.

Un soir de janvier, il devait faire du moins trois degrés, du côté de Saint James, j'ai croisé un couple jeune, habillé pour aller au bal, lui en black tee et elle, stilettos, la mini ras du bonbon, les épaules nues, serrant, pour se protéger du froid, j'imagine, un minuscule sac sur sa poitrine. Personne parmi les passants n'était prêt à houspiller le garçon pour qu'il défonce une des vitrines longeant le trottoir à coup de Weston afin d'offrir un manteau à la princesse. Que dire ? Les Anglais ne font jamais ça. Quand il fait froid, s'ils sont dans la rue en chemise, ils mettent simplement les mains dans les poches et avancent ainsi, la cravate glacée collée à la poitrine. S'il pleut, les Anglais se mouillent. Le *stripe suit* dégoulinant est une spécialité locale. Bien sûr, on vend des parapluies partout dans la rue, mais les Londoners choisiront les miniparapluies qui laissent une épaule sous la gouttière.

Enfin, diront mes amis français, tu vois, tu ne voulais pas le reconnaître, hein ? Il pleut-tout-le-temps ? Tu l'as dit, là ? Non, mais non ! Il pleut, bon. La preuve. C'est vert. Mais il pleut bien plus au Pays basque. Et puis le temps, en ville, on s'en fout. On regarde d'abord les vitrines. Prada, Gucci. Disons qu'ici des grains traversent le ciel à toute allure. Des grains qui arrosent le paysage. Ce vert, ces étages de couleurs presque toutes fondues, ces fragiles nuances de vert donc, ont servi les peintres. Les aquarellistes inventeurs de la préhistoire de l'impressionnisme.

Puis-je dire, copiant Montaigne, que la géographie façonne les hommes ? Des peuples mouillés, trempés au premier pas dehors, ne se donnent pas l'abrazo. Ça se comprend. On se salue de loin. Excusez-moi de ne pas vous tendre la main. Après la douche froide prise dans la rue, vous aussi serez embarrassé de laisser une trace humide sur le dos de la chaise que l'on vous propose. Dans ces cas, le mug de thé, la conversation qui s'étire en longueur, sont d'un grand secours... Ce mug, ravissant, de la vaisselle de famille, sans doute ? Actually, répondra l'hôtesse fine mouche, le mug aux armes des Windsor fait partie de ces plaisanteries dont nous régalent nos amis irlandais pour se foutre de nous. Si vous aviez été vous-même anglais, on vous aurait offert non pas du thé, mais une pinte de notre pompe à bière. Elle est au garage. Vous voulez la voir ?

C'est par Jim que j'ai été initié à la cérémonie du thé. Je veux dire à la stricte cérémonie du thé anglais. Et, lorsqu'on connaît le goût profond de ce peuple pour le cérémonial, attache ta ceinture, sors ton portable, filme et n'en perds pas une goutte, Suzette, ça va y aller. Tu vas découvrir le saint des saints. Si j'ose dire.

Les amiante-busters sont partis. Notre futur palais ressemble maintenant à une maison de Grozny (Tchétchénie). Il faudra quelque temps encore pour que, au bout de la rue, nous voyions apparaître un camion de builders. Pour le moment, en voilà un qui passe, non, ce n'est pas pour nous. Il s'arrête devant le chantier au milieu de Cottesmore Court où depuis quelques années, inlassablement, les terrassiers sortent des tonnes de terre. On se demande parfois, au rythme où vont les travaux, si ces gens ne creusent pas un tunnel jusqu'à la Chine. Ça creuse, ça creuse. Nous découvrons alors que les indigènes ont la mentalité « terrier ». Dès qu'une maison change de mains par ici, on creuse le basement. Et sous le basement, on pourra, Vicky, c'est une idée géniale, creuser plus profond encore. Cool ! On y fera la salle de télé et, si c'est possible, on creusera au-dessous une cave à piquette de Californie… Et même si, de toute façon, Vicky préfère se torcher au blanc d'Afrique du Sud. Il existe donc à Londres des entreprises spécialisées dans le basement ? Est-ce qu'on y emploie d'anciens mineurs gallois ? Non, des nouveaux polonais qui travaillent pour des Polonais qui, etc. Un Anglais envoie la facture au bout de la chaîne. Vous avez compris.

Et puis, un jour de juin, je devrais écrire un beau jour de juin, un camion s'arrête devant la maison. Un groupe d'hommes en sort. Pas polonais. Pas croates. Pas abyssins. Pas autre chose. Anglais. Tous. Sauf un, pardon, petit, qui semble sorti d'un film de Calcutta productions. Enfin vient celui qui semble être le chef. Grand, en jeans, le T-shirt spécial builder, c'est-à-dire serré au niveau du bide de pro du pub, les Doc Martens usées par le ciment. Les cheveux courts. La boucle d'oreille. Le regard bleu baleine. C'est qui ? C'est Jim. Il me faudra à peu près un mois pour comprendre de simples mots car l'accent… Comment dire ? Il a un accent.
Oh ! Que l'on ne s'y trompe pas.
Moi-même, l'accent, je l'ai gardé longtemps. Celui du Midi. Celui qui faisait dire, en l'imitant pauvrement, à la chef du personnel qui vous reçoit : « Oh ! Quand vous parlez, on se

croirait en vacances. Et vous savez, on va pas vous prendre, parce que, ici, on travaille. Ça ne vous ira pas. » Ce genre de blagues, à l'époque bien sûr, c'était assez pénible. Si j'étais arrivé d'Afrique, personne n'aurait eu le culot de me parler avec l'accent de Bamako. Ni de m'expliquer que l'on repérait immédiatement que je n'étais pas prêt à mourir pour « l'entreprise ». Dur. J'en ai bavé.

Jim. Le voilà. Jim, donc, est chef de chantier.
Il sait, comme tout Anglais, que le Français est bourré de défauts. Qu'il est TOTALE-MENT dépourvu d'humour. Jim ne va jamais en France. Il a franchi le Channel il y a cent ans ou plus. Il était peut-être à Azincourt. Sûre-ment même. Il me regarde comme un chasseur regarde le gibier.

L'équipe installe dans la maison ce qui va devenir le poste de commandement. C'est-à-dire une cabane en bois. Au milieu du futur salon. Couverte d'affichettes, de panneaux jaunes ou rouge pétard, de têtes de mort, de warnings, de stop, bref, de recommandations sur ce qu'il faut faire, ne pas faire, mettre un casque, des chaussures à bouts renforcés, en cas de, des adresses d'hôpital hautement spécialisé dans le clou rouillé perceur de semelles. Des centaines de règles comme les anglais adorent en lire. Des règles anglaises qui permettent ensuite, en cas de malheur, à des centaines d'avocats de s'écharper pendant des années à propos de la longueur autorisée des clous rouillés. À des tarifs de joueurs de foot. Pour installer la tour de contrôle, il faut du temps. Et, au centre de la tour de contrôle, Jim pose le boiler. La bouilloire. Pourquoi ? Pour le thé. Même ces gaillards, que dis-je, ces rudes gaillards qui filèrent la pilée à l'Invincible Armada, boivent le thé ?

J'y arrive.

Jim me tend un casque. Réglementaire. Je suis le client. Je le repose à la patère et souffle à l'architecte que je n'ai pas encore envie de pisser. Il traduit. Jim ouvre de grands yeux bleus. D'habitude, le client met le casque, dit : « Oh, sorry… » et, joli comme une Africaine avec une bassine jaune sur la tête, le client, cet emmerdeur qui a le privilège de payer, suit Jim jusqu'à la table de commandement où il va apprendre, casqué, que les travaux ne vont pas durer six mois mais UN AN ET DEMI. Au moins. Un type avec un casque jaune qui lui va comme un chapeau de clown est vulnérable. Il est soumis. Le coup du casque démontre la sou-mission du client, et, à partir de là, tout bon builder a compris à qui il parle. Quoi ? Celui-là, oui, le soumis, là, tu vas voir, on va lui en refiler pour DEUX ANS.

Sur la table de commandement, des plans, des factures, des devis, des tournevis, de vieux outils. Le tout dans un désordre de chantier. Il est dix heures. Je vais participer à ma première cérémonie du thé. Anglais. Du thé pour builder. À ne pas confondre avec celle que pratiquait le moine Saicho en 805 dans les montagnes d'Hokkaido. Japon. Le boiler que Jim traîne depuis quelques années est couvert d'une mince couche de poussière. De plâtre. Il souffle dessus, l'ouvre et ajoute une bonne rasade d'eau sortie d'une bouteille en plastique format familial qu'il cachait sous la table, parmi les sacs de ciment.

Dans le bazar général, tandis que le boiler chauffe, Jim sort un sachet. Du Lipton de Tesco, vendu à la tonne et en solde. Plus tard, comme un maître de thé, je veux dire avec le geste lent appris au cours des siècles, Jim file un petit coup de flotte du bidon sur le mug surgi de je ne sais où. Un de ces mugs précis comme un travail d'enfant inapte à la poterie en classe de CM2. Il fait couler dedans un long filet d'eau chaude, trempe-trempe-trempe le sachet de thé Lipton qui, même d'ici, poque le carton bouilli, me tend le truc et ajoute, en me surveillant de son œil de baleine : « Milk ? » Indeed, que je dis. Il répète la même chose pour Philip qui accepte avec moi d'être initié. Nous regardons les plans, en silence. C'est magique. Rarement j'ai bu un thé aussi... les arômes de plâtre, de poussière, de carton, se mélangent. C'est inoubliable. Good ? me demande Jim. Je le remercie chaleureusement de m'avoir autorisé à vivre une expérience inoubliable. Il apprécie mon compliment.

Quelle joie. Une fois et plus jamais ça. La stricte cérémonie du thé à Londres n'est pas rare sur l'ensemble des chantiers de Londres.

Ce matin-là, mes enfants sont en route vers l'école. Quelques rues plus loin, notre chantier avance. Je suis seul dans le petit appartement. Je ne fais rien. Je suis en attente. Vous l'aurez deviné, ça m'arrive. De quoi ? Je ne sais pas. On sonne. J'ouvre. Mr Spike est là. Manches courtes. Chemise blanche. Il jette un œil par-dessus mon épaule. Voulez-vous entrer ? dis-je. Would you please come in (traduction). Mr Spike m'annonce que Mr Slump, son assistant, l'a informé de « mon désir d'obtenir » une place pour mon vélo... Cela est-il exact ? Yes, je confirme, Mr Spike, I'm sorry about that. Well, well, c'est-à-dire que, nous n'avons plus de places. On n'entre pas dans notre parking privé facilement, ajoute-t-il, il faut s'y prendre des années à l'avance. (Suit un blanc) (où l'on voit mes voisines, les craintives Indiennes, sortir de chez elles, porte en face. Apercevant Mr Spike, l'intraitable gardien en chef, elles oublient l'ascenseur et filent sans un mot, par l'escalier). Car Mr Spike vient d'appuyer sur le bouton sous-sol. Voulez-vous me suivre ? Of course, Mr Spike, of course, dis-je. Dans le basement. Inoubliable expérience. Trois mètres cinquante sous le niveau de la rue, on devine un coin de ciel en levant la tête. En passant dans ce trou, devant les fenêtres éclairées en plein jour de Mr Slump, j'ai tenté d'apercevoir la silhouette de Carinne, la femme thaï posée là. En vain.

Mr Spike utilise son énorme trousseau de clefs, ouvre des portes cachées. Nous traversons des caves et des caves. Puis le parking. Loin devant moi, le gardien marmonne qu'il y a peut-être une solution pour mon vélo. Temporary. Oh ! splendid ! Thank you, Mr Spike. Au bout du parking, une nouvelle porte et voici la cave à vélos. Vous mettrez votre vélo ici, temporary. dit-il. Entre le dernier au fond et le mur. Ne vous trompez pas. Les vélos que vous voyez appartiennent à de très anciens propriétaires. ILS ONT LEUR PLACE ATTRIBUÉE. Vous savez, dans cet immeuble, tout est en ordre. Ne vous trompez pas, entre le dernier, number twenty seven, et le mur. Voici un pass. Vous entrerez par le parking. Il a tourné les talons, je lui crie : Thank you. Again. Il est loin déjà. Il ne s'est pas retourné.

Un peu plus tard, J'ai repris ma place dans le salon, face aux feuilles de bouleau. Gagner un parking pour mon vélo ? Une solide victoire. Pas de doute, mon intégration à la civilisation anglaise va aboutir. I can feel it. Je ne dois plus me laisser aller à la mélancolie. Non non. Plus je réfléchis, plus mon ambition de devenir le meilleur ami de Paul McCartney me semble raisonnable. Une chose après l'autre, cependant. Tout vient à point. Et voici que, par hasard, en jetant un œil au *Time Out*, le *Pariscope* anglais, qui gisait là, par terre, je note l'annonce d'un concert pop. Au Barbican.
Alors ?
En avant.
Aussi célèbre que Big Ben, aussi glorieuse que Sa Majesté, aussi incontournable que le fish and chips : cette femme est une icône. Big Ben a traversé le temps, on peut le dire. Elle aussi. Sa Majesté, bien des épreuves. Elle aussi. Quoi encore ? Les fish and chips d'Angleterre n'ont rien à foutre des bizarreries culinaires modernes… elle encore moins. En surpoids de trente kilos, Londonienne for ever, un délicieux sourire, des lèvres inoubliables, une beauté arrêtée dans la tourmente des années soixante, la voix travaillée à la clope depuis cette époque

chérie des dieux, je vous demande d'applaudir pour son entrée sur la scène du Barbican Theater la blonde over-twistée, la revenue de tout : L'incroyable Marianne Faithfull.

Nous nous rendons au concert en compagnie de Kevin et Mimi Velours, jeune couple franco-autrichien. Artistes off-off du East London. Le must de la « branchitude » (désolé d'utiliser ici des tics de langage français). Sorry. Le décor daté du Barbican me ramène aux exploits croquignolesques d'architectes des années soixante. Aux inventions des maisons de la culture qui éveillèrent la France profonde. La province. Et inévitablement au Midi.

On n'en sort pas.

En 66-67 du siècle précédent, il y a bien long-temps donc, descendirent d'un hélicoptère, du côté des étangs, un groupe d'hommes impor-tants habillés comme les Méridionaux pour aller aux obsèques. On ne les connaissait pas, on les appela respectueusement « les gros par-dessus ». Rouges comme des tomates après un déjeuner du tonnerre arrosé aux nectars locaux, ils furent pris en photo devant la mer qui ne leur avait rien fait, les cabanes de pêcheurs silencieuses, les flamants roses inquiets et les parcs à huîtres. Ils complotaient, tout le monde l'avait compris. Si bien que, quelques semaines plus tard, on les retrouva dans le *Paris Match* de ce temps-là, pointant le doigt vers les moustiques, eux, les gros pardessus, la mine sérieuse, dans notre paysage à nous. Où il n'était pas recommandé d'être sérieux. Sur ce bord de mer perdu où nous, les *vitelloni* locaux, quittant la route goudronnée, allions à travers les étangs par un chemin salé, tracé à la va-vite, repérable à des piquets enfoncés dans le sable, au milieu des salicornes. Notre eldorado : un lido de sable entre les étangs et la mer, lieu-dit les chalets sur pilotis de Gruissan. Là se trouvait le fameux dancing Au grand soleil, chez Valentin. Qui sentait le sel, le bois, les chiottes bouchées dès le début de saison, la Méditerranée merveilleuse et la bouillabaisse à venir.

En ce temps-là, c'est à peine croyable pour mes deux jeunes amis du Barbican, personne n'avait jamais vu une pizza. On savait que ça existait mais on se disait, c'est un truc d'Américain, ça ne prendra pas ici...

Sur la photo, les gros pardessus, j'y reviens, étaient une bonne dizaine, ils entouraient le chef pardessus dans l'ordre décroissant des grades supposés. Si nous avions été en Corse, nous aurions détruit l'hélico à coups de godasses et ramené jusqu'au train pour Paris à coups de pied au cul ces hauts responsables. Hélas ! Nous étions gentils. Car de quoi s'agissait-il ? Nous le découvrîmes entre BB, l'actrice, et Charrier, son nouveau mari – qui devait bien se régaler avec une femme aussi jolie –, juste avant les pages « monde » où de courageux reporters entraient dans Harlem alors que, tenez vous bien, jamais un con de Blanc ne s'y était aventuré. Oui, ils étaient là, dans *Match*, nos gros pardessus. Le titre l'annonçait : ils feraient ici, au milieu des étangs, la nouvelle Floride en France. Quoi ? ! Oui les gars, la Floride, rien que ça. À l'apéro, il y avait eu un silence embarrassé. Et les moustiques ? On leur a demandé leur avis, aux moustiques ? disaient les piliers de café qui ne se laissaient pas rouler facilement. Déjà qu'ils sont méchants, tu vas voir qu'ils vont nous les énerver, les moustiques. Dans les pages suivantes, on voyait des immeubles en étoiles de mer. Sur d'autres dessins, la route passait directement sur le toit plat d'« immeubles serpents ». Un buveur de pastis qui s'y connaissait lança : S'ils ont dessiné ces trucs, c'est qu'ils étaient bourrés... C'est trop moderne, ça ne se fera jamais.

Ce que nous reniflions, nous, tribus anciennes vivant loin du monde, c'est que les Modernes allaient nous tomber dessus. Qu'il faudrait nous y faire. Que le temps des baraques et de la bouillabaisse allait se transformer en temps des pizzas et des bagnoles. Que le monde changeait et que partout la laideur surgirait dans le sillage des gros pardessus.

Nous allions perdre quelque chose. Nous ne savions pas quoi. Il nous faudrait quelque temps pour nous en rendre compte. Cette chose-là, il serait juste de l'appeler la grâce ou encore l'insouciance – mot que je préfère. « Ceux qui n'ont pas connu l'Ancien Régime ne sauront jamais ce que fut la douceur de vivre » : pour avoir cité cette phrase de Talleyrand à mon père, je me suis fait aligner, au prétexte que si la douceur de vivre existait avant la Révolution, elle était réservée à quelques-uns dont nos ancêtres n'étaient pas. Pardon, je ne voudrais pas être rangé du côté des Classiques, moi qui ai fait tant d'efforts pour paraître Moderne, mais du passé faisons table rase m'a laissé comme orphelin et perplexe.

Alors, le Barbican à London, c'est comment ?

C'est Créteil Soleil au milieu de la ville. Vous vous souvenez du projet qu'avait Le Corbusier de détruire le centre de Paris et de construire du Corbu à la place ? Dieu qui aime cette belle ville nous a sauvé du Suisse fou et fonctionnel. Eh bien, ici, non. Raté. Londres n'a pas été préservé : on a construit une chose atroce en béton avec des balcons, des encorbellements, des poteaux, plus des jardins intérieurs en béton et un long bassin en béton planté de roseaux. Les jeunes gens qui nous accompagnent poussent de petits cris de joie devant le décor. Le

« soixante » les fait bicher, c'est un vrai retour des choses accompagné de son copain le refoulé qui s'agite et laisse entendre que ce qui a été construit, célébré, puis délaissé, finit toujours par resurgir. Il arrive que le temps transforme le plomb en or et nos jeunes amis Kevin et Mimi s'ébaudissent devant l'exploit : le Barbican, c'est trop cool. La jeune fille avoue même : Nous aimerions habiter ici, mais c'est compliqué, aujourd'hui, c'est très demandé.

Un peu plus tard, en entrant dans le bâtiment, direction le théâtre, je remarque que la moquette sent encore comme toute vraie moquette abandonnée aux acariens à la fin des années soixante-dix. Les jeunes me regardent comme un… ben oui.

Fin de l'ovation.

Voici Marianne.

Derrière elle, ses musiciens chauffent la salle. Ils n'ont plus beaucoup de cheveux. Leur barbe blanchie dit qu'ils ont fait le chemin avec elle. C'est attendrissant, le vieux rocker, ça aura toujours vingt ans. Marianne a réussi un beau lifting – ça arrive, à cet âge – qui l'a laissée méconnaissable. Ces yeux de chien battu, sa bouche, en un mot son charme de bébé endormi, il faudra un peu de temps pour le retrouver. Elle a un vrai bide d'Anglaise habituée à la bière. Elle porte un tailleur pantalon noir et une chemise de Madame Rotary au-dessous. Quand elle sourit, sa bouche ressemble à celle du Jocker. Ses cheveux blonds n'ont pas changé. Elle est heureuse d'arriver dans cette salle où le public largement débarqué en car d'une maison de retraite pour artistes a blanchi lui aussi. Ce soir, on trouvera les ex-rockers qui accompagnent leurs petits-enfants au manège sans barguigner. Ils sont devenus gentils comme tout, les « fureur de vivre ». N'est-ce pas qu'il est doux de vieillir ?

Et puis Marianne chante et c'est beau.

Elle chante sa vie, ses amours, elle envoie une vanne sur Mick Jagger et la salle, complice, ron-ronne. Sa voix éraillée n'a plus autant de pou-voir qu'il y a dix ans, quand nous la vîmes à l'Olympia déguisée en motarde, mais ce soir, c'est beau, très beau. Cette femme est géné-reuse. Ça s'entend. Les musiciens ont du doigté. Les « riffs » de guitare se succèdent. On est contents, Marianne nous parle entre deux chan-sons, comme autrefois Trenet, ce grand garçon du Sud monté à Paris, le faisait, en disant : « Sur des paroles de Johnny Hess, une musique de Miquette Cougourle, voici : *La Mer*. » Aaaah ! se pâmait le public au théâtre de la Mer à Gruissan-plage, il y a longtemps, longtemps. Après que les poètes eurent disparu. Quand nous étions pour quelque temps encore classiques.

Le concert est réussi.

Pendant que les guitaristes se déchaînent, Marianne s'assoit. Elle est vannée, la pauvre. À son âge, faire encore ces pitreries, alors qu'elle avait une corbeille de tricot à finir. Elle n'a pas emporté les aiguilles, elle patiente... Et tandis que la chanteuse ferme les yeux, la tête dans la fumée que nous envoient toujours les inévitables tuyaux qui font disparaître les artistes rock-en-rollers dans le brouillard, je m'interroge : à quoi rêve-t-elle ? À qui ? À cette jeune fille qui marchait le long des étangs, dans ce paysage disparu, par cette soirée inoubliable où la pleine lune, large, rousse, bienveillante, se levait sur la mer ?

Vers trois heures du mat', nous retournions à pied vers les chalets du lido, en suivant la silhouette noire des poteaux de bois. Il faisait doux. Comme en été, et c'était l'été. Nous n'écoutions pas les bruits de la nuit claire, les rires d'adolescentes, les promesses. Et puis soudain, il y eut ce chant, cette voix de fille dans notre dos. Délicieux. Une chanson anglaise. Alors nous, les branleurs, les *vitelloni*, nous nous sommes retournés. Quatre garçons et une fille, cinq taches claires, s'approchaient. La fille chantait. Ils marchaient vers la mer, eux aussi. Un « groupe » fameux, disait-on, se produirait le lendemain au Grand Soleil, chez Valentin. Ces garçons et cette fille, c'étaient eux. Ils avaient des cheveux très longs, coiffés à la manière de Louis XIV peint par Hyacinthe Rigaud. Plus ou moins. Ils étaient habillés de fripes comme j'en ai vu plus tard, sur le dos des acteurs de Peter Brook. Du vieux, du mâché par la vie. Très réussi. Ils portaient des chaussures aussi longues que des skis ou presque, sauf la fille en retard, fermant la marche, pieds nus, chaussures dansant au bout des doigts, à peine vêtue d'une robe légère. Elle passa sans nous voir, en chantant *Dedicated to the one I love*. From Papa's and Mama's. Nous, les branleurs, en eûmes le cœur chaviré. Elle embaumait la marie-jeanne. Ils allaient saluer la lune merveilleuse…

Ainsi, le lecteur remarquera que pour moi, Londres n'est pas exactement une terre inconnue. Que ma cousine Plume, plus la jeune chanteuse croisée dans la nuit, plus *Blow up* d'Antonioni auraient pu me préparer à cette rencontre et faire de moi, comme Gérard Cougourle en Inde, un sacré veinard. Un élu.

Un jour, je suis assis avec Mitch, mon ami anglais que je vois assidûment deux fois par an, je me plains de ne pas être réellement en contact avec sa civilisation. Pas à cause du style de vie d'ici, dis-je, non, car les Londoners sont plus « faciles » au quotidien que jamais les Parisiens ne le seront. Mitch posa alors ses baguettes sur son bol de riz. Il m'expliqua que je n'étais pas « adaptable ». Que la seule personne à qui il aurait conseillé de ne jamais quitter Paris était assise devant lui. Paris où, ajouta-t-il, j'étais comme un poisson dans l'eau. Dire que j'étais mortifié n'est rien. Me serais-je jamais permis de grogner à ma cousine Plume, mise sur son trente-et-un, au moment de monter les marches du Grand Soleil, chez Valentin : « Écoute, Plume, ici, comme dancing, c'est pas trop pour toi, t'as mis trop de rimmel, tu fais grosse, et ferme la bouche, tu vas avaler des moustiques, allez chérie, dégage... » ? Je précise, pour ceux qui ne m'ont jamais vu en photo, que je ne fais pas du tout mauvais genre comme elle. Et qu'il me reste un soupçon d'amour-propre.

Je sais maintenant qu'avec l'Anglais, lorsqu'il vous tire un Scud en pleine gueule, il vaut mieux se la boucler. Et sourire.

Voilà ce que j'ai appris à faire.

Aujourd'hui, pluie d'été.

De cette pluie qui est si agréable. Le matin est souvent clair, une belle journée s'annonce, et voilà qu'un peu plus tard ça se gâte. Le ciel se charge de nuages de plomb, le « tonnerre gronde sur les Downs », les arbres tendent les bras vers le ciel, les feuilles au vert transparent frémissent, les rossignols et les merles se la bouclent. Toute la ville attend l'ondée. Elle vient d'un coup. Une averse tropicale. Le jardin trempé absorbe tout. Ça ruisselle des toits. On a l'habitude. Au premier rayon, les plantes vont relever la tête. Les rosiers grimpants s'étirer encore pour atteindre la cime des murs qu'ils ont colonisés. L'Angleterre est une aquarelle. Elle accueille avec plaisir l'eau du ciel. Et de ma chaise, j'entends les rouges-gorges et les mésanges chanter sous la douche. Plus tard, le gris de plomb se change en gris pâle. Vire au vieux rose. Ça finit dans une tache bleue où se faufile la lumière. Londres change le gris en or sans faire d'histoire. Cela peut se reproduire deux, trois fois dans la journée, sans jamais encombrer personne. C'est l'Angleterre.

On se figure la campagne, le poney ivre de joie, galopant d'un bout à l'autre du pré sous l'orage. La vieille fille au carreau ouvrant sa bouteille de gin en regardant l'eau envahir la pelouse. Et, une fois de plus, le voyageur, devant son manuscrit à écrire, murmurera : Ici, c'est l'Angleterre.

Il nous aura fallu bien plus d'une année pour oser sortir de Londres. À nos amis qui s'étonnaient, je disais que la campagne n'était pas ma tasse de thé. À quoi bon visiter les routes secondaires ? Ici, ma chère, une abbaye du XIIᵉ et là, un pub caché sous la charmille où l'on sert de délicieux pies. Bon, très bien. Et maintenant, on rentre ?

C'est Marianne Faithfull qui me fait penser à l'histoire qui suit, puisqu'un jour nous prîmes le train pour aller à Cowes. Parce que je connaissais les photos des Beken. Et que les vieux gréements en pyjamas de coton, lorsqu'ils fendent la mer par petit temps, me donnent envie de battre des mains comme un enfant. Et Cowes, le port des yachtmen, se trouve dans l'île de Wight, là où il y eut le fameux concert de rock.

Et je n'y étais pas.

Car je l'avais appris trop tard : plusieurs filles du village s'étaient échappées en douce par le train de nuit, direction « le concert de Wight ». Sans garçon. Lesquels s'étaient sentis insultés. Oh ! on les connaissait bien, ces teenageuses. Le statut des femmes d'ici ne leur convenait pas. Trop sauvages. Elles rendaient dingues leurs pauvres parents. Refusaient les jupes. Habillées de gilets tricotés au crochet, de jeans, de boots au bord de rendre l'âme, la paupière supérieure peinte en noir profond, le chewing-gum éternel et la clope au bec, les doigts ornées de bagues back to Katmandou, elles aussi étaient prêtes à vivre la Vraie Vie. À Wight. Eh, pardi. Dans l'île. Et comme je n'avais pas été prévenu, que cela m'avait vexé, j'ai voulu, quarante ans plus tard, pour ma première escapade hors de la ville, aller voir s'il restait encore des places pour le concert.

Qui sait…

Ce que firent les filles là-bas est resté secret. Aucune n'est revenue en cloque. Jimi est mort quelques semaines plus tard. Les filles de retour, il devint difficile de les approcher. Elles avaient vu « des choses qu'on peut pas vous raconter ». Nous, on était restés les mêmes. On sentait désormais un grand décalage. Elles parsemaient leurs phrases de mots anglais, elles fumaient du shit sans se cacher… Eh ouais. De la drogue. Oui, oui, de la drogue. On sourit.

Pour aller à Wight, on prend le bateau à Portsmouth. Un ferry. Dans le goulet, entre la terre et l'île, je guette les vieux gréements de légende en file indienne naviguant sous le vent. *Shamrock, Endavour, Britannia…* Mais non, rien. Cowes dort sous le soleil de fin d'été. Nous débarquons. Les Beken se sont modernisés. Un tortillard nous amène du côté où les guides indiquent quelque chose qui s'apparente à une station balnéaire, tendance mer du Nord. En effet, une petite ville regarde vers le Cotentin On y trouve le casino hors d'usage, des fish and chips prêts à fermer. La mer est froide. Personne n'aurait l'idée de se baigner. De vieilles personnes se promènent. On entend le bruit de chaises roulantes. Une lady âgée tousse. Elle n'en a plus pour longtemps. Pardon madame, où trouve-t-on des places pour le concert des Who, et aussi, dans quel hôtel est descendu Jimi Hendrix ? Oh ! On ne vous a pas dit ? Hendrix est mort, my boy. Demandez donc le journal au pub, le numéro le plus récent date de 1970.

Nous retrouverons London avec plaisir.

Notre première sortie à la campagne, je veux dire à la mer, fut « pathetic ». J'emploie ici pathétique à la façon des Anglais. La vraie campagne, c'est pour bientôt.

J'entre dans la chambre de mon fils.

Il me regarde d'un air désolé, il fait ses devoirs. Il a quinze ans. Devant lui s'étalent des cahiers, des piles de livres. Tous ce fatras le désole. Il essaie de se concentrer. Peine perdue. Il n'a pas les parents qu'il faut. Attentifs. Sur le coup. Il a baissé les bras. Je m'assois près de lui et lui sourit. L'Éducation nationale, inventée pour que les enfants du corps enseignant aient des places réservées dans l'ascenseur social, n'a plus depuis bien longtemps à l'égard de mon garçon les attentions qui comptent. Et moi, je suis lassé d'aller régulièrement visiter d'admirables professeures, de ces méritantes de l'exception française que le monde entier nous envie, jusqu'au jour où, fatigué de m'entendre demander la rengaine : « Est-ce qu'il travaille ? », je me suis entendu répondre : Madame, il s'emmerde en classe, vous ne pouvez pas savoir à quel point il s'emmerde... Je crois même avoir ajouté : Vous n'allez pas le croire, mais apprendre est, de mon point de vue, une des joies majeures du genre humain. Les maîtres, qu'ils soient bénis, nous font aimer le monde... Je m'arrête. Bref, donne-lui du courage, ton job, c'est aussi ça. Je le confesse humblement, je méritais à moi seul une grève nationale.

Voilà pourquoi, en ce week-end de fin août, nous traversons la campagne anglaise, direction le Nord-Ouest. Assis sur la banquette arrière, notre fils regarde le paysage de haies, de prés, de chemins creux. Dans quelques heures, il entrera en boarding school. Adieu et merci les bienfaits de l'éducation à la française – que le monde entier nous envie, on ne le dira jamais assez.

Malvern College, au pied des Malvern Hills, visible au loin comme Uluru au milieu de l'Australie, est devant nous. Une petite ville célèbre pour ses eaux, ses promenades au sommet de la colline et sa fabrique Morgan Motors Cars. Ça n'est pas chic, c'est thermal. C'est comme Luchon. Ou le Boulou, si vous préférez. L'Europe entière, dit-on, y envoie ses enfants.

Façon de parler, puisqu'il s'agit du monde entier. Dès l'entrée, on découvre que Harry Potter n'est pas passé loin. Et même si les adolescents qui dévalent l'escalier sont jaunes de Chine, noirs du Nigeria, blanc de Russie, roux d'Irlande ou bronzés du Koweït, l'architecture gothique et les portraits des grands ancêtres tranchent avec le monde « Ed-nat ». Bienvenue dans la fameuse éducation anglaise. Les maîtres portent des capes, des costumes, des cravates. Environ soixante élèves vivent dans une même maison. Il y en a dix. Elles ressemblent à des chalets barocco-rococo 1912 tendance le Boulou. Autour c'est du vert, des arbres de... allez, trois cents ans. Personne ne crie. Voici le chien de la maison, il s'appelle Pinkus. Lui aussi est ravi de vous accueillir. Marius ? Tu vas partager ta chambre avec les quatre garçon que voici. Salut. Salut. Hi. Salut. Aidez Marius à monter sa valise, les gars. Près de la fenêtre, tu auras la vue sur les collines. Vous, les parents, descendez dans le salon ou allez faire un tour sur le campus. Vous direz au revoir à votre fils dans dix minutes, il fait désormais partie du « team ». Il est bientôt temps pour vous de repartir pour Londres.

Et là, mesdames et messieurs, je dis « Waow ».

Je crois même que je dis « Ahbenmerdalors ».

Notre fils a disparu dans les étages. Ses parents, un peu bousculés, marchent au hasard, sous les arbres. Les voilà au stade de cricket. Ils admirent sa pelouse manucurée. Notre fille est silencieuse. Nous savons tous ce qui se joue là. Le petit théâtre de l'enfance se termine pour notre garçon. Nous avons le cœur serré. Dans quelque temps, il parlera mieux anglais que français. Il aura porté des costumes tout l'hiver sans effort. La cravate de sa « maison » lui donnera une nouvelle dignité. Il sera n° 12 dans l'équipe de rugby. Il fera des progrès dans toutes les matières. Plus jamais il n'entendra « Ne travaille pas assez ». Ses nouveaux amis seront allemands, nigérians, japonais et même anglais.

Sur le chemin du retour, où, pour la première fois, nous sommes trois et non plus quatre à bord, un silence de plomb pèse dans la voiture. À l'arrière, notre fille pleure son grand frère. V. regarde obstinément défiler les champs. Je conduis. Pas de musique. Je me fais l'effet d'être le père Thénardier. Pour nous punir d'être des parents aussi pitoyables, nous nous arrêtons à un McDo le long de l'autoroute. Nous y bâfrerons toutes les horreurs que vous imaginez. Ça n'était JAMAIS arrivé, je le jure. Les Français n'ont pas de nerfs.

Ce matin tôt, réunion de chantier, les « huiles » du bureau de l'entreprise sont là. Philip, l'architecte, est venu aussi. Je tombe à pic. On m'offre le thé.

Que se passe-t-il ? Alors voilà, monsieur, pour construire la cuisine, il faut creuser des piliers dans le sol. Très bien. Mais nous avons constaté que le sol est instable. J'écoute en dégustant mon thé au plâtre, je renifle qu'ils vont me demander... Go on, please, dis-je un ton au-dessus, à la manière de Lord Sugar, le boss des Apprentice, hit de la télé anglaise. Les « huiles du bureau » prennent des airs de professionnels. Ils se lancent dans une explication. Pas de doute, il va y en avoir pour une heure ou deux. Une minute n'a pas passé que je lève la main. OK. Stop it ! Combien ? Jim, silencieux, au bout de la table, œil de baleine rieur, regarde à l'extérieur. Nous nous connaissons, maintenant. D'habitude, dans ce pays, il convient d'attendre que l'ingénieur finisse ce qui ressemble à une embrouille pour commencer à négocier. D'habitude, ça prend du temps, on est dans le bazar d'Istanbul, toutes les phrases ne finissent pas par Si Dieu le veut, mais ça y ressemble. On répond gentiment, l'air concentré, qu'il faut essayer de trouver une solution, inch Allah. Dans l'intervalle, ça n'est pas compliqué, on arrêtera le chantier. Ça fait aussi partie de l'embrouille. On se réunira sans fin. On boira des litres de thé au plâtre. Ça n'en finira pas. Ou mal.

Qui nous avait promis l'enfer ? Qui nous avait prévenus qu'il fallait être fou furieux pour avoir affaire aux builders dans ce pays ? Quel Français ignare, regardez-le, il croit pouvoir s'échapper de la nasse et continue à parler son anglais de pacotille ? Tu croyais quoi, mon garçon ? Là, ça y est, nous y sommes.

Où ? Eh bien, au pays de l'exquise retenue. Au pays où il est ridicule d'élever la voix.

Exemple : à la télé. BBC News. Une femme est en plateau, très sobre, pas franchement rigolote, le cheveu long sur l'épaule comme toute Anglaise qui se respecte. Elle indique dans les termes les plus précis, en remuant à peine les lèvres – comment fait-elle pour arriver à ça ? –, que la situation à Benghazi est mauvaise, bla, bla, bla, et d'ailleurs, voici, sur place, notre intrépide correspondant John Pickwick. John ? Yes Patricia ? Calme, le micro à la main, le gilet pare-balles réglementaire, John est un héros moderne. Lui aussi parle sans ouvrir la bouche. Cependant qu'à l'arrière-plan on voit tous ces Méditerranéens hurlants, ces troupeaux de mal rasés, bouffeurs de falafels, pas foutus de mettre des chaussures, que des babouches, etc. Quel contraste, tandis que John regarde intensément la caméra et nous apprend « qu'on a entendu des bombes sur plusieurs quartiers pendant toute la nuit ». Plusieurs ? Good Lord ! Merci John, ça valait le coup de savoir ça. Belle chemise, vieux, elle vient d'où ?

Rappel : quand les bombes, ici, à Londres, ont transformé le métro en piège sanglant, pas une larme, pas un cri. On contrôle. Pas question de laisser croire à ces sauvages en burnous qu'on est touché. L'hystérie n'est pas, ne sera jamais couleur locale.

Alors, qu'est-ce qui m'a pris ?

Je me suis levé de la table de réunion. J'ai regardé les structures ingénieurs, Jim, Philip, et j'ai gueulé. Je leur ai dit que ce genre d'arnaque était vieux comme le monde, qu'ils n'avaient rien inventé. Qu'ils n'auraient pas un sou de plus, que leur attitude perfide était « unfair ». J'ai fait le Méditerranéen hystérique tel qu'on le voit à BBC News. Il ne me manquait que les babouches. Et qu'ils arrêtent de me prendre pour un crétin de Français. Puis je me suis rassis. Silence. Je leur ai souri et j'ai ajouté : Combien vous doit-on pour le travail que vous avez déjà fait ? Un sacré paquet ? Vous voulez être payés ? Ne rêvez pas. Bye-bye. Et je suis sorti.

Qu'est-ce qui m'a pris ?

Quelques heures plus tard, les huiles du bureau étant reparties au bureau, j'étais de retour. Seuls sur le chantier, restaient Jim et le petit Indien. On trouvera une solution, conclut

Jim en souriant. Ils l'ont trouvée. Sans rallonge. Alors ? Simple. On continue comme si de rien n'était. Ben quoi ? Ils ont tenté le coup, c'est tout...

Un hiver, un été, puis encore un hiver passeront.

Jim et sa bande font partie de la famille maintenant. Nous avons abandonné l'idée absurde qu'ils finissent un jour. Dans dix ans, ils seront encore là, nous serons les invités d'honneur du petit Indien, du côté d'Heathrow, pour le curry spicy servi au mariage de son garçon devenu grand. Il en est des chantiers comme des longues traversées maritimes. Au début c'est long, ça n'en finit pas. Ensuite, eh bien, on change de monde. On n'est plus avant. On n'imagine pas après. Les jours poussent les jours. Tombent les feuilles de bouleau. Soufflent les vents glacés. Bientôt Noël. On n'ose même plus demander, comme les enfants à l'arrière de la voiture : Quand c'est qu'on arrive ? Puisque les enfants n'obtiennent jamais la bonne réponse.

On a tout appris des ouvriers. Du petit Indien. Le prénom de sa femme, du garçon qui a déjà deux enfants, les brillantes études des petites. La région d'origine, ici ou là-bas, du côté du Kerala où jamais je ne suis allé.

Jim est sympathique, sa femme va bien, merci. Lorsque beaucoup d'eau aura coulé sous les ponts de Londres, comme toujours et partout, je me souviendrai de la classe ouvrière. Si d'aventure, vous, Français de France venant visiter Harrod's, vous descendez dans le métro, vous aurez quelque chance d'en croiser un. Un Jim. Un working class. Vous le verrez ramasser un tabloïd, un gratuit, jeté sur la banquette. Il aura les souliers cirés au ciment, le T-shirt, le bonnet Chelsea Football Club sur les oreilles et la boucle d'oreille format Vache qui rit, gagnée au tir forain. Il cherche à la page foot le commentaire sur Arsenal. S'il est cinq heures, c'est qu'il rentre. Ce soir, sa femme l'attend dans une boîte en briques sans charme, passé Shoreditch, au bout de l'East End. À une heure d'ici. Quelle vie, n'est-ce pas ? Yep. Eh ! Tout va bien, il est solide. Il ne geindra pas.

Come on, la classe ouvrière !

Shoreditch ? Un ex-quartier ouvrier qui n'en finit pas de replâtrer ses plaies anciennes. Les traces de fabriques misérables, les entrepôts lépreux dominent le paysage vers l'est, juste à l'orée des tours de la City. Ici et là, on a détruit puis reconstruit des barres dans le style des HLM français. En briques. Pour changer. Les corners trop vétustes qui n'ont pas encore été abattus servent de niches aux « Pakis » barbus portant le *Churidar paijama*. Mais si l'on y regarde mieux, parmi les Jim et les Mahmoud, on devine déjà la faune arty.

J'en parle volontiers puisque nous, bien-heureux, sommes là, à l'entrée d'une ancienne fabrique. Au pied de l'immeuble de Soho House.

Soho House ? Voici l'endroit hype de l'est de Londres. Members only. Un club interdit aux bourgeois habillés en bourgeois. Une affiche l'indique à l'entrée : pas de complet veston, please. Ainsi, c'est dit. On est décalés. Jeunes for ever. En ascenseur, on arrive tout en haut du building. Il fait doux ce soir. Voici l'heure déli-cieuse. Master view de la terrasse : les tours de la City se fondent dans la nuit. Bienvenue au Paradis. Mojito ? Tout comme on dit dans les guides, Cruella. Le Gherkin est en face, et les autres merveilles du monde aussi, temporary en construction, tandis que plus loin la pointe de crayon du building de HSBC clignote au-dessus de Canary Warf.

Le savant mélange d'ex-misère et de bran-chitude est un cocktail d'aujourd'hui, incom-préhensible aux âmes anciennes : si David Adajayé, architecte posh, à déjà bâti dans ce quartier si popu, si sir Terence Conran a « designed » ici un hôtel et si les toujours sur le coup d'APC ont déjà posé leurs valises à Shore-ditch, c'est, ne boudons pas le plaisir, que « ça le fait ». Pas tout à fait nouvelle (à l'heure où j'écris) expression française qui dit bien ce qu'elle veut dire. Que l'on peut utiliser presque partout en place du « c'est réussi » très vieux jeu, qui fut détrôné par l'imparable « génial » que l'on traduira en anglais par « cool ». No panic, please. On traduit en anglais presque tout par cool.

Shoreditch, ancien Lower East Side de NYC.

Crasseux, détruit, moche, minable. Ruelles pavées modèle 68 avant les événements. Tout ce qui est nécessaire de décrépitude juste avant d'être oint par les Modernes. On y croise encore de la mosquée à talibans et déjà du boutiquisme à fringuasses derniers modèles. Si vous avez quelques sous, le goût des affaires, dépêchez-vous d'investir, les prix flambent.

Good evening, welcome aux immigrants qui jamais ne s'intégreront, aux galeristes à particule, aux pépettes design à stilettos, aux jeunes gens et bien sûr aux défoncés en bout de course.

Ce soir, nous croisons Sam. Dreadlocks, jamaïquain approximatif, sale et sympathique. Il mène une vie rude de clochard.

Voici comment il nous aborde : « Est-ce que l'un d'entre vous, gentlemen, aurait sept cent cinquante livres pour que ce soir je puisse aller dormir dans cet hôtel de riches, là, derrière vous ? » On se marre, la saillie est impeccable. Il poursuit : « Qui va me les donner ? J'en ai marre de coucher dans cette encoignure de porte, là. Je suis Sam, l'innommable chien du quartier qui fait rigoler les passants pour leur pomper du fric. » Nous rions, il a la classe, je sors dix livres. Sam empoche et me tend la paume que je claque. High five. Nous nous éloignons, je l'entends dire encore : « Eh ! Merci ! Je t'envoie un carton pour mon bal de Noël, OK ? »

Où l'on se dira que Londres est une ville légère.

Et sans pitié.

Vus depuis les transats de plage posés sur la terrasse de Soho House, les buildings dédiés aux traders éclairent la nuit. C'est l'heure où les bureaux sont livrés à la cleaner portoricaine. La nuit est pleine de lumières. Plus bas dans les rues, des rires de jeunes filles à moitié nues cascadent d'un trottoir à l'autre.

Tiens, avez-vous lu que les patrons des banques Goldman Sachs and JP Morgan ont considérablement augmenté leurs revenus cette année ? Ah, vous ne saviez pas… Allons, allons, pas de morale. Pas ici, le fameux « d'un côté le riche, de l'autre le pauvre », on va avoir l'air tellement français…

Jim dort maintenant.

Nous retraverserons la ville dans l'autre sens, vers l'ouest. Nous quittons East London envahi par des grappes d'enfants de vingt ans ivres, la bouteille de gin Hendricks à la main. Ils gambadent, rient et s'interpellent au long des avenues. C'est charmant. Où sont donc passés les vieux ? Mais, madame, à cette heure, ils sont au lit, ils transpirent et cauchemardent : krach boursier, of course.

Si nous quittons un jour l'ouest de la ville, si cosy, si chien-chien, ça sera pour venir poser nos valises ici, du côté de Redchurch street. Comme si nous avions encore vingt ans.

Toujours recommencer...

Allez, j'appartiens à cette génération gâtée qui ne lâchera rien. Qui, à jamais, exigera d'avoir « la carte ». J'aime cette expression honteuse, parisienne, dégueulasse. Qui autorise. Ah ! Paris ! Paris ! Comme Paris ne me manque plus !

Quoi ? What ? dira Éric, ça y est, t'as basculé parce que un soir de juin, un de ces soirs rares où il ne pleut pas, tu aurais croisé quelques filles ? Non, je rêve ! Quel tocard sans âme ! Dis donc, tu deviens un vrai expate ! Que se passe-t-il ? Tu aperçois Sa Majesté en carte postale sur Piccadilly et te voilà bouleversé, maintenant ? Pas toi, please ! Tu avais été désigné comme étant le Français le plus inadaptable ! Vérifie ton contrat, vieux !

Nous traversons Holborn.

Un peu plus tard, en roulant sur le Strand, j'ai revu le restaurant Simpson's où j'entrai, par un soir d'hiver, lors de mon premier séjour en ville, il y a quarante ans. Je m'étais promis d'y revenir, pour goûter l'agneau à la mint sauce et mesurer le temps passé. Pouah ! La nostalgie. Je traîne déjà mémé Martinez et tout son Barnum d'animaux tristes. Ajouter des impressions du premier voyage en Angleterre... non, ça va, là.

La plantation du jardin commence d'un instant à l'autre. Ce matin, nous accueillons un camion chargé du squelette crucifié d'un espalier de charmille et de longs palmiers qui feront dire à nos voisins que des Saoudiens viennent s'installer dans leur quartier.

Nos voisins donc.

D'un côté, un couple d'Italiens qui ne seront jamais là. En face, la résidence des familles de l'ambassade du Vietnam installée plus loin dans la rue.

Dans leur petite maison de trois étages, ils pourraient être entre vingt et deux cents. Mystérieux. Propres, en rang, réservés. 8 AM ils sortent, 5 PM ils rentrent. Pour le moment, venant de la maison, nous n'avons toujours pas entendu de chants à la gloire de l'oncle Hô. Le Vietnamien est discret.

De l'autre côté, une lady anglaise vit seule. Elle est veuve. C'est à elle que nous avons acheté la maison. On croirait une actrice échappée de *Chapeau melon et bottes de cuir*. British pur sucre. Toute sa vie, Mrs Taylor a dansé au Royal Ballet. Elle en conserve quelques restes : le port de tête impeccable, le pas en canard si particulier de l'ex-ballerine. Et pas un poil de gras sur la bête. Ajoutons l'humilité de celle qui faisait des entrechats au fond de la scène quand la prima ballerina prenait la lumière, et tout sera presque dit sur notre voisine. Elle a un côté « Riviera » et surtout une coiffure miraculeuse, d'un gris perlé rare, bétonnée à la laque Elnett des années soixante et qui hésite entre la vague d'Hokusai et le bombé de Tippi Hedren – *Les Oiseaux*. Elle est adorable. Lors de notre première rencontre, elle a voulu savoir si nous connaissons Monaco. What ? Monaco ? Nous étions épatés. Nous ne savions trop que répondre. Nous découvrons avec elle l'idée que les Anglais ont des Français. Je veux parler des Anglais qui ont connu l'avant-guerre. Pour qui France se traduisait par Chamonix, Chanel et chablis, ou champagne, si vous préférez. On l'imaginait en haut des Grands Montets à peine hâlée, lunettes de soleil et col de chemise relevé souriant près de Jack son jeune mari fumant la pipe. Au dos de la carte postale, elle devait écrire : « Bien arrivés à Chamonix, séjour exquis, continuerons à travers les Alpes vers Monte-Carlo... ». Du Modiano dans le texte. À moins que ce ne fût du Fitzgerald... Ou peut-être allait-elle en tandem avec Jack, toujours la pipe au bec, pour camper au bord de la mer verte et trouble du pays de Galles. Où nous sommes allés, nous aussi, pour un week-end, puisqu'il fallait, paraît-il, que je connaisse l'Angleterre. Le Méditerranéen que je suis est bluffé qu'on puisse passer ses vacances dans ces contrées où la mer accueille les traces de mazout des chalutiers habillés de rouille. Les plages de galets où pas un être humain ne saurait poser le pied nu. L'eau glacée. L'air frais et la taverne de Long John Silver. La serveuse italienne, fausse Anna Magnani aux yeux cernés. Échouée là. Nous avons vu, dans cette anse du bout du monde, un groupe de jeunes gens, masque et tuba, roux de la tête aux pieds, enfilant des combinaisons de plongée, se jetant à l'eau pour faire une sorte de « tour », barbotant sans conviction d'un rocher à l'autre. Bah, ils avaient l'air d'aimer ça.

Une photo de Diane Arbus...

Sur le chemin du retour, nous avons visité des jardins, puisque c'est notre dernière tocade. De beaux jardins dont j'ai aussitôt oublié le nom. Qui me plongèrent dans un état d'inquiétude légère. Des allées bordées de bancs où jamais de jeunes gens ne viendront plus s'asseoir et se jurer qu'ils passeront leur vie ensemble. Des jardins où l'on n'entend que d'anciens jeunes à cheveux blancs se houspiller sans cesse. À voix basse. Pour des bêtises. Il dit blanc, elle dit noir.

Ce fut mon seul voyage au pays de Galles.

En le quittant, sur le bord de la route, un panneau indiquait la maison de Dylan Thomas... Le temps de me retourner, d'avoir envie d'aller la visiter... trop tard. Pourquoi suis-je aussi hésitant ? Après tout, les murs n'ont pas d'âme et Dylan Thomas est mort.

Allez, ça suffit, rentrons.

Nos palmiers ont traversé le chantier sous le regard incrédule de Jim et des autres builders. Pour protéger les arbres, les livreurs ont posé une grille de séparation entre les briques et la terre labourée qui recevra le jardin. Posés en groupe tout près de la maison, comme sur un îlot, ils donnent de la profondeur à l'espace. Todd arrive. On est d'accord. Ils sont exactement à leur place. Doucement, quelque chose se précise. Les ouvriers lèvent le pouce. Ils n'avaient jamais vu ça. Ces Français ont de drôles d'idées.

Après deux années anglaises, la première chez Bee von Kouglow, la deuxième chez Mr Slump, pour la troisième, nous entrerons dans nos murs. Toujours en chantier. Après le thé au plâtre, nous allons approfondir notre connaissance de la cuisine anglaise en essayant la soupe au ciment. Pourquoi ? La cuisine. Elle n'est pas finie ? « Of course yes ! Temporary… » Inutile d'expliquer à un builder anglais que planter un clou « définitif » est mieux qu'un clou provisoire. Il choisira toujours le provisoire. Ça fait plaisir au client. Après tout, on est là pour faire plaisir.

Une tasse de thé au plâtre ?

Non ? C'est l'heure de la pause, non ?

Les grands spécialistes de la pause furent les électriciens. Vingt-six et vingt-huit ans. Surfers. Sympathiques comme des surfers. Cheveux blonds hyperoxygénés, T-shirts bariolés. Australiens. On se dit : Hi ! comme sur les plages de Waikiki.

Ils s'intéressent à l'art. Ils sont capables de passer une heure à parler de street art assis en tailleur sur une caisse à outils. Le matin, enfin, vers l'heure du déjeuner, ils arrivent sur des VTT en carbone classe compétition. Ils repartent à deux heures. Si on compte les pauses, ils auront le temps de chercher un tournevis. Ça passe vite. Yeah. High five, man. Je leur demande s'ils ont fait des trucs avant, des études. Un silence. L'un dit, comme penaud :

d'économie comparée. L'autre, de littérature japonaise. Et… pas électricité ? Là, ils éclatent de rire.

Ils ont laissé des souvenirs charmants. Notre préféré : une lampe qui éclaire une pièce au deuxième étage. Nous avons cherché l'interrupteur pendant un mois. Facile à trouver. Au rez-de-chaussée en entrant. Il suffit de crier dans l'escalier : « C'est bon, c'est allumé ? »

Les menuisiers sont sur le chantier !

On ne les attendait plus !

Quelle joie !

Avez-vous déjà goûté la French baguette, si en vogue à Londres ? La croustillante. Recouverte d'une fine pellicule de farine. Nous avons rajouté à la farine la sciure de bois : la tartine beurre et sciure ! Inoubliable.

Les menuisiers sont des menuisières. Nous aurons des filles qui ne s'en laissent pas conter par les planches. Ni par leurs camarades maçons qu'elles regardent comme des demeurés sans cervelle.

Installer une porte dure une semaine et demande le concours de cinq, six ouvrières différentes. Sophie, qui est venue le premier jour, est « sur un autre chantier » temporary. Aujourd'hui, c'est Mona et demain, temporary, Gudrun, from Germany. À la fin de la semaine le chef menuisier, anglais, vient visiter le travail et encaisser les sous. Je vous l'ai déjà dit, les sous sont une passion anglaise. Je lui explique qu'il s'est trompé de dimension pour l'une des portes. Non, dit-il, c'est impossible. Il sourit. Je souris. C'est ça, darling, prends-moi pour une bille. Il va voir ce qu'il peut faire. Il cherchera pendant plus d'un mois à trouver un autre coupable. Reviendra plusieurs fois. Mesurera ce qu'il a mesuré cent fois, et quand, agacé par cet interminable numéro, je lui dirai : « Alors ? », il répondra : « Faut voir. » Sans oublier en partant de me demander si nous pouvons lui régler une partie de la facture. Je réponds que nous sommes encore assez faibles pour n'oser payer que des portes à la bonne dimension.

Et puis il y a les peintres.

Roumains. Ils n'ont pas encore compris le système. Ils arrivent à l'aube. Ce matin, ils ont amené leur cousin qu'ils veulent nous présenter. Qui est gentil. Le cousin qui regarde autour de lui comme s'il était invité au château de Versailles. En silence. Il ne veut pas gêner. Et puis toute la clique prend le pinceau et monte à l'échelle. Ils ne redescendent que le soir. Le Roumain vit en l'air. Il beaucoup travailler, gagner argent, retourner Roumanie. Pour acheter kiosque. Où vend cigarettes. Vous fume, monsieur ? Roumain fume. Roumain se tue avec cigarettes, monsieur. Alors vous, peintre roumain, avec argent, vous vendre cigarettes pour tuer encore plus Roumains ? Il rigole en haut de l'échelle. Le cousin au blouson de cuir et pantalon de son mariage lui demande pourquoi il rit. Il traduit. Un voile de tristesse traverse œil du cousin. Puis les Roumains rient ensemble. La vie est une sacrée merde. Fatalistes et travailleurs, ces gens. À croire qu'ils en ont bavé.

Je vous raconte tout cela et, ce faisant, m'éloigne ainsi du guide de Londres que vous pensiez avoir acheté. Certes. Vous vous seriez fait avoir que ça ne m'étonnerait pas. Sorry. Ce texte ne présente pas d'intrigue, pas de personnage principal, et je ne vous ai toujours pas donné cette adresse introuvable – y compris dans le *Guide du routard* – comme dans ces romans américains où le héros, un ancien alcoolo qui vit avec un chat, va manger une pizza aux poivrons spicy à l'angle de la Machin Street et de Truc Avenue. On mourrait d'envie de savoir tout ça, hein Brigitte ? Dans une pizzeria où quelque temps plus tard des bandes de lectrices viendront en pèlerinage, où l'on vous dit tout du coin de la rue alors que vous, à Nice ou Besançon, vous vous demandez, alors quoi ? Qu'est-ce qu'il fout ? Le bus arrive. Même un roman américain encensé mérite d'être jeté à la tête du chauffeur, comme ça, zou. Un geste à la René Crevel. Bon. Je n'aurais pas dû. Pardon. Un « petit coin sympa », ça vous irait ? Un

« resto secret », dont je n'aurais parlé à personne ? J'connais bien mon London maintenant.

Que viennent mes amis de Paris et je m'active.

Je repasse, c'est la vingtième fois pour moi, sur ce pont d'où l'on a une vue imprenable. Dans l'axe, la tour Machin et la tour Chose. Je me dis, tandis que chacun s'extasie, pourquoi ce cirque, pauvre garçon ? Au moment de la photo souvenir sur portable, toujours l'un d'entre eux dira : « C'est génial, cette ville, tu dois être super bien ici... » C'est à la suite de ce « ici » qu'une larme coule sur ma joue. Si l'un de mes amis remarque mon trouble, il en rajoute : « Oh ! il pleure de joie ! » Je réponds ouich ouich. Chacun échangera un clin d'œil avec son épouse : c'est un artiste. Il est sensible. Puis l'épouse me prenant par le bras dira encore : Tu ne changes pas. Et se retournant vers l'époux qui prend encore une dernière photo, lui lance : Dépêche-toi ! Il nous amène dans son pub préféré.

Nous voilà ensuite au bar du pub Boot and Flogger (Botte et Fouetteur) à deux pas du Borough Market. Mes amis sont enchantés. On espère, dis-je, Charles Dickens d'un instant à l'autre. C'est la Nancy d'Oliver Twist qui sert en salle. Voyez, je fais ce que je peux. J'aime tendrement mes amis parisiens. Ils me rappellent le bord de Seine. Ce côté guinguette. La *Partie de campagne* de Jean Renoir. Où la jeune fille rit comme riaient les cousettes quand Maupassant canotait sur la rivière. Elle s'exclame juste avant d'être culbutée dans l'herbe : « Vous entendez ? On dirait un petit rossignol ! » Ces petites femmes-là, comment dire ? ça aime déjà ce que ça ne connaît pas encore. C'est français.

Pardon si je m'attarde ici sur notre caractère, au lieu de poursuivre la visite. Je m'esscuze eh, dit-on dans le Midi. Ne soyez pas impatients. Plus tard, nous irons à Burlington Arcade, je sais que vous aimez. À la Tate. La « Modern ». Obligés. Nous, Français, nous restons irrémédiablement modernes.

Une ancienne usine électrique, deux architectes suisses : Herzog et de Meuron, le tour est joué. Le plafond de la salle des turbines culmine à environ cinquante mètres de hauteur. On y présente des travaux d'artistes. Cette semaine, un grand artiste a « créé » un parterre de graines. Une installation. Il y a quelque temps un autre grand artiste a « installé » un toboggan géant où les amateurs d'art les plus raffinés peuvent glisser sur leurs fesses jusqu'en bas du musée. C'est une pure joie culturelle pour tous ces fins connaisseurs que de glousser comme des enfants. Une pièce ludique. Ne me demandez pas le nom du génie qui a fabriqué cette « pièce », j'ai la flemme de chercher. Autrefois le voyageur visitait les églises, aujourd'hui c'est le tour du centre d'art contemporain. L'effet toboggan.

C'est dimanche soir.

Mes visiteurs reprendront le train pour Paris. On s'embrassera. Ils auront passé un bon moment. Vraiment. Vraiment. De chez Arr-odzz, ils rapportent des trésors. Des choses anglaises. Du thé aux armes de Sa Majesté, comme c'est charmant : sur la boîte, la souveraine, heureuse elle aussi, sourit à l'éternité. Au revoir, au revoir, on s'appelle ! Mes amis retournent vers la civilisation. Là-bas, de l'autre côté du Channel, on entend « Plop ! ». L'heure où Paris débouche le champagne, où le fêtard aiguise les couteaux. On va s'amuser ce soir. Qui dira que Paris n'est plus une fête ? Qui ? Ah ! Lui, il ne sait pas. Alors, je vais tout vous raconter. De source sûre. On ne parle plus que de ça. On connaît qui, qui connaît celui-là et reprenez donc du soufflé au chocolat. Le privé, le public, l'inavouable, le secret, non, tu ne t'en doutais pas ? Paris s'amuse, Vicky, pouvez pas comprendre ça, vous autres Anglais. La légèreté française ne s'apprend pas.

Voilà ce que j'ai vu à Paris.

Le bavardage dînatoire.

Le rot qui ne vient pas. Le dessert.

La Cour. Sa volaille idéale.

Maintenant, laissez-moi, je rêve.

La lune se lève...

Plus un souffle de vent. Là-bas, dans le Sud, l'humble vague meurt sans bruit à l'assaut du sable. Seul au monde, au cœur de la nuit, le pêcheur empale un appât qui rend un peu de tripe. Et puis il rallume sa clope. Jusqu'au point du jour tout sera paisible. Il tourne la tête : vous voyez la plage sans fin, vide ? Très loin, ces lucioles, ce sont les lumières de Port-la-nouvelle. C'est ça, on les devine. Levez la tête un instant vers les étoiles. Le ciel noir. Oui, très beau.

Alors, en avant.

Le sable craque sous le pied nu. Le pêcheur entre dans l'eau, il a remonté son pantalon. Il tient haut sa canne gigantesque. Il progresse vers le large dans la mer peu profonde. Il mouille ses genoux. Et voici qu'il s'arrête. Et voilà qu'il se penche en arrière. Qu'il jette son bras entier et sa perche en avant. Du même mouvement. Le fil se déroule. Se déroule. Se déroule. Dans un éclat de lune, le bouchon touche l'eau. Très loin. L'homme rallume encore sa clope. La braise rouge éclaire ses lèvres. La fumée monte droit vers le ciel. Ça y est, on peut commencer. Voici une scène de la pêche au loup sur la mer, mer, mer Méditerranée. Le pêcheur fredonne « un petit navire ». Ah ! l'été.

Qui dit mieux ?

Londres ou Paris ou ailleurs... ça n'est pas tant le sujet qui compte. Et la manière française, c'est connu, c'est le style. Quand je retrouve, le soir avant de m'endormir, Thomas Hardy, sa campagne et ses misérables, je comprends mieux l'Angleterre que la carte postale obligée qui colle Big Ben, le Gherkin et Portobello. Et si Thomas raconte une histoire, avec un début et une fin, au romancier français il est recommandé d'oublier ce fatras XIXe. Que faire ?

Dîner à l'Institut français à Kensington.

On fête une dame anglaise qui aime passionnément Flaubert et *Madame Bovary*. Devant un public attentif, la dame, qui parle pourtant notre langue, a lu et commenté EN ANGLAIS le bon Gustave. Ça s'appelle l'Institut français, ça défend, dit-on, la langue française. Ce soir, on se contentera de la traduire. Je m'agace, je m'insurge. Ceux de l'Institut, patients, m'expliquent qu'il s'agit moins d'une institution à l'usage de pauvres Français perdus que d'un « port » français où de nombreux Londoners viennent se frotter à notre culture. D'où l'anglais. Plus tard, au dîner, la dame m'étonne en citant dans le texte *Le Petit Chose* d'Alphonse Daudet. En français. Je n'ai pas lu l'Alphonse depuis la classe de quatrième, et je lui promets de le relire. Comme on le voit, on apprend toute sorte de choses « au pays de Shakespeare ».

Shakespeare, donc.

À ne manquer sous aucun prétexte.

Eh bien oui...

Vous m'avez entendu dire des choses méchantes sur le théâtre anglais tel qu'on le pratique du côté de Covent Garden. Et voici que ce soir je conduis à l'Old Vic deux de mes visiteurs parisiens dont l'un a écrit et l'autre joué de belles choses aux Bouffes du Nord. Des gens du métier, comme on dit. Pour cette pièce que nous allons voir, Sam Mendes sera au pupitre. Kevin Spacey interprétera Richard III. Nous nous installons. Chut, silence. On tousse. Voilà. Ça commence. Le plateau s'éclaire. Assis face à nous, Kevin Spacey, cet acteur prodigieux découvert dans le film *American Beauty*, parle. Il dit : « Now is the winter of our discontent ...» Maintenant, voici venu l'hiver de nos disgrâces...

Sa voix est tranquille, claire, convaincante. Déguisé en tyran moderne – toujours on y revient –, il « sert » le texte avec une nonchalance admirable. Et m'oblige à vous avouer que, dans les premières pages de ce livre, je suis allé un peu vite en besogne. Pendant le spectacle, mes amis, qui en connaissent un rayon sur la pièce et l'art de la comédie, gloussent de joie. Nous vivrons une soirée rare. Du grand art. Les scènes se répondent et la mise en scène de Mendes éclaire le texte, le porte, l'embellit. Vous n'allez pas le croire : le modernise. Le met à notre portée. Non pas dans un délire abstrait où le metteur en scène se paye sur la bête, mais en cueillant parmi les inventions d'aujourd'hui, du côté de la lumière, juste ce qu'il faut pour souligner le savoir-faire de William S. le magnifique.

Quel plaisir.

Et l'on se retrouve à la fin, souriant sur le trottoir rincé par un fin crachin parmi les Anglais souriants, à héler le taxi où l'on s'engouffrera, heureux de la soirée. En route pour Wolsley. The Wolsley ? ! Yes, darling. Pas de panique, on a réservé.

Cet ancien magasin de bagnoles, au coin de St. James et de Piccadilly, a réussi en quelques années à draguer « la » clientèle du quartier. On entre ici comme on entrait à La Coupole… à ceci près que Wolsley fait aussi penser aux brasseries chics du côté des Champs-Élysées. Et si nous avons là nos habitudes, c'est grâce à Éric. Qui est maître d'hôtel et qui vient du Midi, de mon village, mais oui madame, qui mesure un mètre soixante au garrot et qui sert le carré VIP. J'admire ce garçon qui n'a rien abandonné de notre civilisation commune et qui s'adresse aux happy few avec la même tendresse que s'il servait sa vieille mère restée là-bas. Et puisque ce soir je n'en suis plus à une admiration près, je note qu'il y a à la table centrale, comme souvent, cette sorte de vieux renard roux, élégamment débraillé, dont je me suis servi dans mon dernier opus : j'ai nommé Lucian Freud. Il vient souvent. Eh ouais, Suzette. Te penche pas comme une grosse curieuse, c'est lui que j'te dis, j'connais mon monde, kestu crois. Lucian qui est absolument convaincu d'être Lucian dîne avec une petite cour. Il aime les huîtres. Moi aussi. Mes copains du théâtre, revenus de tout, pas dupes pour un sou, prendront ce soir de l'huître irlandaise.

Faut goûter, c'est très iodé.

Terminer une soirée anglaise chez Wolsley est agréable. On sort avec l'impression d'être un élu. On embrasse Éric. On salue affectueusement le boss. La fille du vestiaire vous pose le manteau sur les épaules comme elle l'a fait pour Lucian. On est dans *The Remains of the Days*. Enfin quoi, disons-le, tout va bien. Le portier fait patienter le taxi. Le crachin est encore là, qui humidifie votre visage rougi par le trop-plein de cabernet from California — comment a-t-on fait pour boire un truc aussi boisé… Bref, le taxi traverse Hyde Park.

Durant le trajet, on rumine. On se souvient de Lucian. Peindre est un beau métier. Kevin Spacey fait, lui aussi, un beau métier. Alors, inquiet, l'on s'interroge sur l'avenir de ses propres petites productions… le cabernet aidant, on trouve qu'il serait opportun de faire « un truc ». Mais ce genre de délire de *vitellono* s'éteint vite puisqu'il est déjà quatre heures du matin. Qu'il faut se lever pour pisser. Eh oui, bientôt le jour. Le rossignol enchante le jardin. Les merles aussi y vont de leur couplet. Ça serait cool de dormir. Sinon, demain, journée foutue. Près de moi, V. respire. À l'étage, nos amis parisiens ronflent, le sourire aux lèvres.

Ils trouvent Londres « génial »…

La vie est belle.

Les conversations des renards en chasse transpercent la nuit. On croirait des jappements de chiots. Parfois, tard, on les aperçoit sous les réverbères. Pressés, furtifs. La ville leur appartient. Ils sont cent mille, dit-on, à vivre sous les taillis, attendant le soir pour dévaster les poubelles.

Le premier que nous vîmes dans notre jardin était inoubliable. Une longue bête grise aux oreilles dressées. Rien n'a l'air plus sauvage qu'un renard. Il était là, à la porte de la cuisine, comme pour s'assurer que malgré le bazar foutu par les builders il resterait quelques personnes bienveillantes pour lui réserver un os de mouton. Mais l'œil du renard des villes, ce regard si intelligent, vous trouble. On l'envisage aussitôt comme un adversaire. Alors, on se renseigne. À ce qu'il paraît les da-dames anglaises ont interdit leur chasse. On apprend effaré que ces bêtes sont les bienvenues. Curieux, non ? Madame Martinez t'aurait foutu toute cette ménagerie dehors à coups de balai, vite fait...

Au lieu de ça, l'Anglaise foxy lady qui va s'installer pour le thé ne déteste pas d'avoir Foxy la renarde à demeure, au fond du jardin.

Nous même y avons eu droit.

C'est Todd qui m'a mis la puce à l'oreille.

Les couverts de buis plantés dans le jardin, disait-il, seraient de parfaits refuges pour ces petites bêtes. Je n'ai pas moufté, j'ai d'abord cru à une blague.

Et voici qu'en novembre, sous le buis le plus grand, je découvris un trou. Todd revint. Ah ! dit-il, c'est la renarde. Elle aime votre jardin. Elle va mettre bas chez vous. Ah non ! dis-je. Si, si, au printemps vous aurez des renardeaux dans le jardin. Ah non ! répétai-je, pas les renards ! Dans ce pays, poursuivit-il, il faut que tu saches qu'on aime les bêtes. Les bêtes ?

On est ému en arrivant pour la première fois dans Hyde Park de voir le chien anglais – il y en a de toutes sortes – lorsqu'il croise un autre

chien anglais se comporter d'une façon extrê-
mement civile. Pas de dents sorties. Pas de reni-
flage de cul. Pas de poil hérissé. Pas de maître
dépassé qui glapit en vain : « Azor, au pied ! »
tandis que l'Azor parisien – oui, celui qui laisse
sur les trottoirs de petits cadeaux pour les
semelles du monsieur anglais – fond sur le
Médor à la dame avec l'idée de n'en faire
qu'une demi-bouchée. Pas ici. Chacun court
après sa baballe perso. Il ne rapporte pas la
baballe d'un autre. C'est tout juste s'il ne jappe
pas « sorry ».

Très bien. Mais les renards ! Ah non ! Pas les
renards ! Ça mord ! Dès que j'annonçai mon
intention de me « séparer » de notre locataire,
c'est-à-dire d'acheter un fusil, complété d'une
panoplie avec chapeau *Out of Africa*, un truc
anglais, en somme, comme on en trouve du côté
de St. James, de garder le look Denys Finch
Hatton, tout cela pour nous débarrasser du fox,
je déclenchai une longue, anglaise, sifflante,
cascade de reproches. Tuer un renard dans sa
cuisine, un renard portant votre gigot dans la
gueule, une si gentille bête en route pour le dessous des buis, était une grave « injury ». Sale
con de Français qui ne respecte rien. J'allais me
trouver vite fait à la Tour de Londres. On
tolère les types dans ton genre, mon pote, mais
ne fais pas le malin avec NOS renards, sinon…

J'ai hésité.

De temps à autre, pendant l'hiver, je passais devant le buisson, soulevais les branches et constatais, perplexe, que le « terrier » du renard s'était élargi. Je repoussais la terre dans le trou. Non non, quelques jours plus tard, la terre était remontée. Je rebouchais. Ça n'en finissait pas. J'abandonnai.

Nous eûmes un temps de neige. Pas la neige d'une heure comme il peut arriver en ville. Les arbres ployaient, craquaient sous le fardeau. Les autos refusaient d'avancer. Les bus aussi. Les Anglais sortirent les skis. Du côté de Hampstead, on vit des pistes de fortune filmées à BBC News. Kensington Garden devint la cour de récréation des femmes de barristers habillées comme à Courch'. Une joie enfantine flottait sur la ville. La télé, jamais en peine, ici comme en France, donnait de ridicules conseils de prudence. Les spécialistes accourus expliquaient que l'anticyclone et la dépression blablabla... les changements climatiques. Nous regardions vers le jardin, nos palmiers, le thermomètre, et nous pensions : Si cette nuit ça descend à moins vingt, ils crèvent, les pauvres. Les renards jappaient dans la nuit glacée. Les merles et les rouges-gorges tombaient des arbres.

La mort d'un rouge-gorge anglais est un petit désastre.

Hiver 56. Dans le Midi, les vignes disparaissent sous la neige. Un hiver merveilleux. Tôt le matin, mon père entre dans la chambre où nous dormons encore, ma sœur et moi, et annonce, l'air gourmand : « Moins vingt degrés ! » On se cache sous les couvertures. On frissonne de joie. Pas d'école. Nous habitons dans le faubourg. Au bout du bout du village. Alors, branle-bas de combat. Les Méridionaux sont plutôt individualistes, et là, pourtant... Quand mon oncle Léon déclare avec des airs de retraite de Russie : « Je vais en ville pour faire des provisions de bouche, si ça reneige, je m'abrite au café, sinon, on sait jamais, j'ai des allumettes et du saucisson, je peux me faire un igloo et tenir plusieurs jours. Je vais prendre un petit peu de cartagène aussi. Au cas où », on l'admire. C'est un brave. Non, non, Léon, n'y va pas ! Sa femme sanglote parce qu'elle a épousé un fou furieux. Un trompe-la-mort. Un aventurier. Qui se prend pour Scott ou Amundsen ou je sais pas qui. Et s'il gèle ? Qu'on le retrouve dur comme un tas de bûches ? Elle l'aura prévenu, lui qui d'habitude est si mou. Rien n'y fait. Un brave, je vous dis. On l'escorte jusqu'au portail, il serre la main des hommes. Il est temps. Le béret vissé sur le crâne, le cache-nez autour comme un ruban de Pâques, les souliers de marche cloutés – pour résister au verglas –, il part sous un ciel noir, faisant un grand signe de la main. Il se retourne, il est loin. Tonton ! Tonton ! N'y va pas ! Reviens !

Les dès sont jetés.

Ma cousine Plume glousse : Vous verrez, il s'arrêtera au café, il ira jamais jusqu'en ville. Puis elle baisse la tête sous une avalanche de baffes distribuées par les femmes outrées de tant de méchanceté. Les mères s'énervent : « Les enfants ! Rentrez ! Vous allez attraper la mort ! » La mort nous faisait rire. Pour qu'elle nous rattrape, il aurait fallu qu'elle coure vite.

Une semaine plus tard.

Londres a retrouvé son visage habituel. La neige ? Fini. Le temps qu'il fait importe peu dorénavant. De la cuisine, on regarde le jardin encore sans feuilles. Mais l'hiver s'éloigne. Un matin, on devine un premier bourgeon. Tout le monde est content.

Les renards, eux aussi, ont traversé l'hiver. Leurs cliquetis, glapissements, leurs jappements, leur langage donc, signalent encore leur présence au cœur de la nuit. Ils sont cachés quelque part par là. Pourtant notre jardin est calme, plus de trous sous les buis, on les dirait partis.

Partis ?

Mais monsieur le Français, ils sont chez eux ici ! On les aime, *monsieur* ! J'objecte qu'ils crèvent les sacs-poubelle. Que c'est dégueulasse. Qu'en rentrant tard on les voit trottiner sous le réverbère. Sans un regard pour le passant. Ça transmet des virus inconnus, c'est sûr. Un matin, dans un rayon de soleil, j'ai entrevu un animal de la taille d'un gros chat qui se roulait dans un massif de fougères. Un chat avec de grandes oreilles. Un chat à la queue épaisse. Et ce chat-là avait convoqué d'autres chats pour écraser les plantes.

Des renardeaux.

Trois. Nés dans notre jardin.

Au cœur de Kensington.

Ils avaient changé de buis. Si ! Un fusil, vite, qu'on trouve un fusil à Denys Finch Hatton. Ou je fais un malheur.

Renseignements pris, il existe à Londres des spécialistes du renard urbain, susceptibles de nous en débarrasser. Allô ? Voilà, nous avons trois renards dans notre jardin. Oh ! dit l'homme joyeux, trois ? Vous avez de la chance. (silence) (il blague, là ?) Heu, est-ce que vous allez venir avec des cages pour les « libérer » dans la nature ? L'homme : Des quoi ? Vous plaisantez, ils sont incapables de se débrouiller en pleine nature. Juste une question, pourquoi voulez-vous les virer de chez vous ? Vous savez, c'est rare d'en avoir autant. Vous êtes français ? Si vous vendiez votre maison, Paul McCartney, par exemple, serait ravi de vous la racheter. (Non, là, il blague, c'est sûr.) Pour le moment, nous ne vendons rien, nous venons d'arriver. Pouvez-vous faire quelque chose ? Après un silence, l'homme dit que nous devrions leur trouver des noms et qu'il va venir « leur dire bonjour », puis raccroche.

Paul McCartney aime les renards ?

Quoi ?

Nous avons passé trois semaines détestables à regarder ces bêtes faire des bonds, des cabrioles, dans le fond du jardin. Le renard aime narguer le Français. On aurait pu tourner un docu pour BBC Wild Life commenté par sir Richard Attenborough en exigeant qu'il se pro-nonce, qu'il dise, au détour d'une phrase, je ne sais pas, moi, que les pop stars qui aiment les renards sont nazes. Que lui, personnellement, préfère les Rolling Stones.

McCartney aime les renards ! Non, pince-moi, Suzette ! Il refume du toch, la voilà, la cruelle vérité !

Le spécialiste arrive.

C'est un monsieur anglais qui fait campagne. Il n'est pas peigné. Il porte des chaussures de jardinier. Une chemise à carreaux. Il a le poil gris-roux. Des lunettes. Il entre. Il nous regarde comme des bienheureux. Première question : Alors ? Ils sont jolis, non ? Vous leur avez trouvé des noms ? Nif-Nif, Naf-Naf et Nouf-

Nouf ? Nous sommes effondrés. Dites, vous voulez vraiment les chasser ? Puis il pousse la porte du jardin. Beau jardin, dit-il, ils doivent adorer. Merci, on a remarqué. Il fait quelques pas et pousse un sifflement à mi-chemin entre le baiser et le cri de Flipper le dauphin. Chérie ? C'est quoi, ce type, un dingue ? Vous allez les voir, dit-il, ils sont très curieux. Ne bougez pas. Il refait son bruit et c'est alors que, sortant du gros buis, trois têtes de renards apparaissent. Hello, hello, dit-il. C'est ça, fais les présentations, si tu veux on les garde à dîner. Il avance vers eux. Ils ont deux mois, dit-il. Maintenant les renardeaux l'observent, le nez au vent. On s'attend à ce qu'il sorte sa flûte. Les enfants, ces Français sont trop stupides, vous ne pouvez pas rester. Ils sont très jolis, répète l'homme. Ils vont rester chez vous encore quelque temps. Ils ne partiront que si leur mère le leur ordonne. What ? ! Si, si. Oh yes !

Ce type est très antipathique.

Bon, ajoute-t-il, nous allons procéder avec méthode. Vous ne voulez pas les garder, n'est-ce pas ? No, sir. Je vais faire passer mon chien dans le jardin, il laissera son odeur. La renarde comprendra que ses *cubs* sont en danger et dès qu'ils seront en état de sauter le mur, elle les guidera. Pour le moment, ils sont petits. À moins que vous ne les aidiez. Comment ? Mettez une planche qui va du buis jusqu'au mur.

Ils comprendront tout de suite qu'ils n'étaient pas les bienvenus.

Tout cela fut dit avec un poil, un tout petit poil, mais poil quand même, de mépris. Une fois la planche installée, créant un pont entre le grand buis et le mur d'enceinte, les renardeaux, qui n'avaient jamais vu de passerelle, l'empruntèrent sans hésiter une seconde. À partir de là, ils visitèrent les jardins voisins.

Le lendemain, fini, ils avaient disparu.

Bien plus tard, à deux pas de son terrier de naissance, nous avons croisé un des renardeaux devenu adulte. Celui à la queue blanche. Tranquille, il reniflait des herbes. Celles où il s'était roulé « encore enfant » un an plus tôt.

Une bête nostalgique, en somme.

Renifler des herbes, j'ai aimé ça aussi. Au début des années cinquante, j'ai vu la mer pour la première fois. Près de Narbonne, il y avait une plage populaire où, sur un bout de terrain qui n'appartenait à personne, mon père avait fabriqué une cabane. Les jours à la cabane furent sans aucun doute les plus heureux de sa vie. Et pour moi, à Saint-Pierre-de-la-Mer, j'avais trois ans, l'éblouissement de découvrir la lumière du matin sur la Méditerranée bordée de lidos ne s'est jamais estompé. Semées de salicornes, de plantes piquantes, de joncs de mer, les dunes embaumaient le sel, l'air marin, l'herbe grillée au soleil. Les derniers matins d'un monde. Avant que les gros pardessus ne ratissent tout ça pour y faire pousser des marinas. Des pizzerias. Que l'on ne s'inquiète pas, cela n'est même pas un point de vue « politique ». Pensez que c'est un Méditerranéen qui passerait sa vie en short, en tongs, qui vous parle. Méditerranéen.

Sans doute la clef de l'histoire.

Un matin de juin, descendant du train du Midi, en gare d'Austerlitz, j'avais à peine vingt ans, j'ai vu Paris « de mes yeux vu ». Sans rien y comprendre. Et, peu à peu, restant là, attentif, à force de mettre mon pied dans l'entrebâillement des portes, j'ai découvert le corps désiré de la grande ville. Ah ! J'ai aimé. Venant à Londres, qui croira que j'ai fait le même saut ? Voulais-je vivre une nouvelle jeunesse ? Tenter le coup une dernière fois ? Mettre encore le pied dans la porte ? Pas sûr. Être jeune ne m'a pas fait tant d'effet. J'ai préféré l'âge adulte, à vingt-cinq ans, quand la bande rigolarde de *Charlie* a publié mes premiers dessins. Ce jour-là, tout était dit : mauvais esprit jamais ne fatigue. Une façon de voir le monde, en somme. De danser, comme plus tard, chez Gégène à Nogent, en bousculant du coude le gentil genre humain. Autant dire qu'en arrivant en Angleterre j'avais les pires manières.

C'est du côté de Chelsea, chez une jeune femme italienne installée à Londres depuis des lustres, que nous fûmes invités à notre première « party ». L'appartement était rikiki. Tendance confort. Il y avait l'inévitable salade de pâtes et des bouteilles de vin blanc importées du bout du monde. Les invités étaient partout, debout dans l'escalier, assis sur les toilettes, posés dans l'évier de la cuisine près de la pile d'assiettes. Je me souviens d'un brouhaha à peine supportable. Ça y allait sec du côté du blanc moelleux. De quoi parlait-on ? Je l'ignore. V. arrivait à s'intégrer mieux que moi. Des groupes se formaient autour de gens du cinéma, de la presse... bref, les mêmes têtes qu'à Paris. Mais la bonne humeur, les glapissements de joie, les rires à gorge déployée me semblaient obligés. À Paris, on commence par chuchoter. Il n'est pas nécessaire d'ouvrir en grand le robinet : moi, invité, moi, fou de joie. Pas tout de suite. D'abord, on dit des choses affreuses, du bout des lèvres. « T'as vu l'autre, là ? Non, mais tu sais pas qui l'a amené... » C'est plutôt vers la fin que ça se lâche.

Ici, l'hôtesse avait beau m'expliquer que le grand brun qui venait d'enlever sa cravate était le fils caché de tel acteur, que la rousse de vingt-trois ans à la voix haut perchée en était déjà à son troisième mariage, quelque chose me manquait. Comment dire, je me sentais très parisien. Loin. À Luchon ou au Boulou, j'aurais éprouvé la même sensation. Si Paul McCartney avait été des nôtres, la physionomie de la soirée eût changé. « Il n'était pas libre. » Bon, ça arrive. Moi même, j'avais failli ne pas venir.

Parfois, lorsqu'on s'éloigne de sa langue, on éprouve un plaisir trouble. Ne rien comprendre peut occasionner des souvenirs inoubliables. Quand le chef – celui qui a forcément le plus gros os dans le nez – vous regarde en disant des choses feulées terminées par des O rotés, on se doute qu'il est temps de boire la potion de foie d'écrevisse macéré dans l'urine de tapir qu'il vous tend, avant d'aller danser avec sa femme autour du feu. C'est un grand honneur. On se surprend à penser alors : j'espère que la photo sera réussie, sinon personne ne me croira, d'autant que la queue de gnou qu'on m'a collée aux fesses, retenue autour de mon corps nu par un boyau gluant de perroquet, a tendance à me squatter l'arrière, ne boudons pas notre honte à boire. Ça n'est pas le moment d'être snob.

Tandis que, à Londres, tenir un verre de blanc imbuvable entre deux Anglaises à demi nues d'un petit mètre quatre-vingt-trois et montées sur stilettos, cheveux blonds archiplats jetés en vrac sur les épaules, se jetant elles-mêmes de larges lampées du breuvage et éclatant de rire à des choses trop compliquées pour vous, ne mérite pas la photo. Et celui qui la prendrait – la photo – ferait de vous, sans doute, le prototype du mini-Français à baguette et béret, idiot rose de joie de s'afficher en compagnie d'aussi exceptionnelles créatures dont le moule, en France, hélas, disons-le, aurait été perdu. Que dalle Charles. Rêve pas.

Ça ne marche pas comme ça.

Faites alors une expérience. Tournez-vous vers Katy et dites-lui tranquillement : « I love you, Katy. » Katy va découvrir qu'il y avait un nain entre elle et sa copine Vicky, que ce nain-là parle, et qu'à en juger par son accent il est clair qu'il n'était pas à Westminster College – collège pour filles – ni à Eton – collège pour garçons. Les prémices étant posés, Katy, après s'être jeté une nouvelle rasade de liquide, baissera les yeux vers vous en disant : « So cute ! Where are you from, my darling ? » Répondez : « London of course » et regardez bien. Devant un aussi gros mensonge, Katy, dont l'éducation est telle qu'elle n'a jamais envisagé qu'on ose lui mentir, va aussitôt mettre en marche la totalité des neurones de son cerveau. Dans chaque case, dans chaque synapse, aucune lampe ne s'allumera, comme dans le film d'animation *Wallace and Gromit*, rien sur sa carte mère ne lui indiquera qu'elle est en présence d'un Royal, d'un gagnant de X factor ou de...

Paul McCartney. Oui, sir Paul. Même s'il a beaucoup changé malgré les liftings successifs.

Alors Katy regardera Vicky, soulèvera les paupières et reprendra votre phrase, plus lentement, faisant semblant de réfléchir : « London, you said ? Oh yes, indeed. » Et Vicky s'apercevant de votre présence à son tour vous regardera aussi, avant que d'ajouter : « Cool. » Puis les deux tourneront le buste d'un petit quart de tour et tendront le bras pour se resservir une large rasade de chardonnay du Nouveau Monde. Votre tour, mon pote, sera passé. Et si vous avez un poil de chance, ce soir-là, il se peut que Vicky, qui vous a zappé de son champ de vision, au cas où vous n'auriez pas bougé, cloué sur place par le bide, pose sur votre tête plate, élégamment dégarnie, son verre de vin comme sur un guéridon découvert à l'instant, un socle surgi là par hasard.

Ensuite, mes chers amis, on verra si vous arrivez à vous donner ce que nous, Français, appelons une contenance. C'est-à-dire si vous êtes capable de souffrir sans rien en laisser paraître. De sourire comme si rien n'était arrivé. Comme un vrai Anglais, stoïque, que la fonction de guéridon réservée pour vous par deux jeunes ladies, non seulement vous l'aimez, mais, allez, elle vous va comme un gant.

De velours.

Nous étions étonnés, dans nos premières années, lorsqu'une de ces jeunes ladies, dont vous aurez sûrement aperçu quelques spécimens lors du Royal Wedding, affublées de divers chapeaux en forme de vagin – c'est la presse tabloïd qui écrit ces douceurs –, n'hésitait jamais à murmurer à votre oreille à propos de la personne qu'elle saluait : Il ou elle est middle, upper, ou working class ou va savoir. Comme si l'appartenance sociale était la chose à ne rater sous aucun prétexte. En France, à Paris, on dit plus simplement : Tu vas rencontrer Françoise qui est « *sympa* ». Au mieux « *supersympa* ». À noter que si la personne à découvrir est une célébrité, une actrice ou une animatrice de télé, il faut se fendre en retour d'un sourire benêt et rajouter mollement : « Ah oui ? Et elle est sympa ! Ah ! Génial. » Que sa mère ait tenu une pompe à essence dans les Yvelines ne mérite pas d'être signalé. Ici, le hasard vous jette à la naissance dans une case. Vous découvrez tôt que votre père et votre grand-père ont eu le même job. À Camden. Ça n'est pas sexy mais c'est la vie. Ne vous imaginez pas un jour à la Chambre des lords malgré vos immenses mérites. Et que cet état de fait ne crée ni aigreur ni désir de vengeance, Dieu l'a voulu. Si, comme la femme de Tony Blair, républicaine convaincue, vous refusez de faire la révérence due à Sa Majesté, vous passerez pour une conne mal embouchée. À y regarder de près, on n'est pas surpris de voir la joie populaire sur le parcours du carrosse royal : Écoutez, on a une reine depuis longtemps, elle fait bien le job, elle fait pas d'histoires, elle ne donne jamais son avis. Quand un Prime Minister fait des erreurs, on lui souffle dans les bronches, et quand il fait des choses bien, c'est Sa Majesté qu'on applaudit. Ça ne devrait pas donner envie de faire de la politique, mais comme il y a toujours des candidats...

Sur le chemin du lycée, au feu de Cromwell Road, mon fils a vu arriver un jour une suite de Range Rover escortée de motards suivis d'une berline : à l'intérieur, Sa Majesté. Le soir même, alors que je lui demandais comment avait été sa journée d'école, il m'a dit : J'ai vu la reine, je l'ai bien reconnue. Il était rêveur. C'est ça, « l'effet reine ». Il n'y a pas qu'en Angleterre qu'on entend ça. Ses sujets s'amusent de l'intérêt que portent les Français, ces coupeurs de têtes royales, à la souveraine. Ici, le vilain, c'est toujours le bouffeur de grenouilles. Eux-même n'ont pas toujours été délicats avec leurs maîtres. Ils ont même commencé les premiers. Avec Charles, Ier justement.

De toutes les cérémonies qu'il m'a été donné de voir ici, celle qui m'a le plus impressionné est celle des *Poppies* au Royal Albert Hall. Le 11 novembre local. Toujours le deuxième dimanche de novembre. Le Royal Albert Hall est une sorte de théâtre en rond, de style victorien. Il regarde une pâtisserie invraisemblable, en or, construite sur le flanc sud de Kensington Garden, le Mémorial d'Albert, le mari de Victoria. La fameuse reine. Celle qui a inventé l'Empire. Celui sur lequel le soleil ne se couche pas, Sylvette. Ce jour-là, début novembre, tout Anglais qui se respecte porte à sa boutonnière le « poppy », le gentil coquelicot. Tout Français qui ne se respecte pas ignore que Georges Clemenceau, dit le Tigre, allant visiter les poilus dans la misère des tranchées, fut ému aux larmes de se voir offrir par un soldat un bouquet de bleuets et que, gardant ce précieux cadeau, il se ferait enterrer, des années plus tard, couvert de gloire, avec ces fleurs-là.

Le coquelicot, le bleuet, c'est la même chose. La fleur du courage, de l'amour de la patrie.

Au Royal Albert Hall, chacun venait donc en costume d'apparat pour se souvenir. Le *Remembrance Day*. Pour la cérémonie, Sa Majesté est au balcon, la familia itou. Descendent d'abord, en musique vers le centre du théâtre, les meilleurs – je suppose – représentants des corps d'armée dans leurs plus incroyables atours. Un spectacle. Ceux de l'armée des Indes avec une peau de léopard jetée sur l'épaule, ceux d'Écosse, ceux d'ici, ceux de là. Quand tout ce monde inouï est en place, vient alors un jeune soldat porteur du livre où sont inscrits les noms des soldats morts pour la Couronne. Un gros livre qu'il ouvre et pose sur un pupitre au centre de l'arène. On sonne aux morts. On fait silence. Et voilà que, sur tous ces braves réunis, commence à tomber du plafond comme une neige de pétales rouges, de coquelicot précisément, dansant dans la lumière. En silence. La reine est toujours au balcon, debout. La familia aussi. Ça tombe. Ça n'en finit pas. Ça tombe et recouvre le livre ouvert aux derniers morts d'Afghanistan, ça s'accroche dans les bonnets à poils, sur les tricornes, les képis, les dorures. Sur toutes les coiffures, les parures, les médailles. Personne, inutile de le dire, ne bouge une oreille. Le dernier pétale descendu doucement du plafond, on resonne. Le jeune soldat ferme le livre. Puis un vieux, du genre ancien dur à cuire bardé de décorations, crie : « Pour Sa Majesté, enlevez vos casques. » Tous s'exécutent. Le vieux soldat tourne sa trogne à bouffer de l'ennemi au goûter tous les jours vers sa reine. Il commande et le théâtre entier s'élance : Hourra ! hourra ! hourra ! for the Queen. Élisabeth sourit, ça dure juste quelques secondes. Elle hoche à peine la tête pour dire merci. Elle se retourne. Elle est partie.

Et là, on se dit : T'es en Angleterre, ça ne fait plus l'ombre d'un doute… C'est im-pec-cable.

C'est sûr, on n'a pas ça, nous. Nous, on a le vieux monument aux morts à l'entrée du village, moche comme si on l'avait fait exprès, les vieux porte-drapeaux cassés, le béret et le costume devenu trop grand, le nez qui coule sur les uniformes – il fait déjà froid en novembre – et la larme d'émotion qui coule aussi quand on sonne aux morts. Car c'est le moment où l'ancêtre, qui d'habitude ne se souvient de rien, à peine l'heure de la soupe, retrouve au chant de cette trompette la mémoire de ses copains morts. Il se dit qu'il est fourbu, qu'il aimerait que les jeunes, ces jeunes gens antimilitaristes, soixante-huitards, hippies à la noix et tutti quanti, ne le prennent pas pour un vieux, un abruti de vieux, puisque lui, la guerre, il voulait pas y aller, mon Dieu, puisqu'il était pacifiste ou socialiste ou un truc dans ce goût-là, et voici qu'aujourd'hui, époque où tout fout le camp, époque des rhumatismes, par cette fraîcheur de novembre il est là, sous son béret, en train de choper la pneumonie du siècle, ce siècle qui en a tant vu et qui l'enverra retrouver « six feet under » ses copains tombés pour la patrie.

Pour le Remembrance Day, il ne manque jamais un bouton de guêtre. Est-ce la reine qui oblige chacun à se mettre sur son trente-et-un pour ce ballet parfait ? Sans doute. Les cérémonies pimentées à la cornemuse, ils savent faire, les Anglais. Mais alors, que penser de l'émotion

que font naître quelques notes de clairon ratées
dans un décor de cyprès, en lisière des garrigues
où gambadent le lièvre, la grive ? Où tousse, ce
matin-là, en faisant tinter ses médailles, le
vieillard enrhumé. Sous un ciel de Cézanne.
Une autre culture, en somme.

Fierté ces jours-ci : « nous » avons battu les
Anglais lors de la Coupe du monde de rugby.
À Auckland, New Zealand. Cette équipe
d'Anglais qui « nous » donne toujours du fil à
retordre. Nos ennemis préférés. Cette équipe
sans grâce. Tellement appliquée. J'avais assisté
quelques années plus tôt à une défaite française
à Wembley, le temple du rugby. Invité par
Mitch, je me suis retrouvé dans les gradins
anglais seul parmi les supporters anglais. Seul à
me lever pendant les attaques françaises, à
crier : « Allez ! putain ! allez ! » Sur le même
rang, les supporters à écharpes à la croix de
Saint André me regardaient amusés, m'offraient
de la bière, et quand leur équipe attaquait ils
se fendaient d'un : « Allei, poutin, allei ! » Ils
s'amusaient avec le Français. Les Anglais gagnè-
rent. Hélas. Mes voisins me félicitèrent à la fin,
comme eux seuls savent le faire, en me disant
que les Français avaient bien joué... On appelle
ça le fair-play. C'est pire que d'entendre : Vos
tocards sur la pelouse, là, ils ne valent pas un
clou.

La première équipe anglaise dont je me souviens, j'avais seize ans, était apparue dans le Midi, descendant du car sur le parking de mon internat de bras cassés où s'épanouissait la fine fleur des cancres du Languedoc. Ils allaient, ces jeunes rugbymen, d'une école à l'autre, effectuant une sorte de tournée mi-études, mi-sport. Eux et nous étions si différents. Ici, le rugby, c'était la castagne. Pour eux, le jeu d'équipe, la bataille stratégique. Dans ce Midi glacé de décembre, sous les rafales d'un mistral de cornecul, nous avons joué au rugby un dimanche, sur une pelouse chétive, gelée, un sol en béton. Nos adversaires étaient roux. Presque tous. Nous avions projeté de leur foutre une raclée. Ils la prirent sans broncher. Le rugby se pratique en Angleterre entre petits messieurs bien élevés, ce qui n'était pas notre qualité première. Nous avions un côté Barbarians. Le soir du match, il y eut une réception à l'école. Le capitaine anglais de dix-sept ans, qui avait perdu la bataille, nous fit un tel compliment en se moquant de lui-même que nous, stupéfaits devant tant d'esprit, d'humour, avons laissé tomber la garde, chanté avec eux. Le lendemain, avec beaucoup d'émotion, nous les avons accompagnés au bus, eux blaser et cravate, direction le nord d'où ils venaient. « C'est des types bien, a dit quelqu'un, ça m'étonne pas qu'ils aient les Beatles chez eux. » On a tous hoché la tête. On était d'accord – les Beatles, ces types en caban, sur les images du juke-box, près du babyfoot, au café La Clope qui poque, on les connaissait. Ils chantaient que « C'était dur, le jour et la nuit », et que c'était bien de rentrer à la maison pour serrer sa girlfriend dans ses bras. Pas exactement le chant révolutionnaire. Plutôt popote, même. Faudra que j'en parle à Paul. Quand je le croiserai, bien sûr… Sir Paul.

Je me demande ce que je pourrais faire pour être, moi aussi, anobli. Mmm… Écrire un livre sur l'Angleterre qui amuse Sa Majesté ? Un livre où, entre les lignes, on sentira mon attachement profond à cette terre et à ce peuple ? Qui se terminera par une violente apologie des constructions en briques ? Je réfléchis à voix haute, là. S'il faut un piston du côté des altesses, en jetant un coup d'œil à mon carnet d'adresses, voyons, voyons, ah oui, j'ai ça… enfin, je veux dire que, en demandant l'air de rien à X, elle ne pourra pas refuser. Oui, X, duchesse de X, fille du regretté X earl of X. Une femme délicieuse, je vous le confirme. Simple. Qui vous met à l'aise. Qu'on prendrait pour une bonne copine à qui on claquerait la bi-bise à la française. Comment je l'ai rencontrée ? Dès que notre maison fut finie, nos amis accoururent pour s'extasier. Une fois par semaine, au moins, dîner français chez les Français. Ce soir-là, nous recevions Madé Widjiaya, grand jardinier tendance tropical, installé depuis quarante ans à Bali, perle incontestée de l'Indonésia. De passage à London, Madé nous enchante dans le genre qui n'a peur de rien. Il se déguise en Priscilla reine du désert pour aller au Tesco, il pète comme Gargantua, il rit à gorge déployée. Intelligent et raffiné comme du sucre en poudre, c'est un ami attentionné, un grand landscaper. Australien. Rien de ce qui nous fait d'habitude trembler dans les conventions du vieux monde ne l'épate. Il est chez nous à Londres pour quelques jours. On va s'amuser. Ce soir, le dîner aura lieu en son honneur. C'est lui qui décidera du plan de table. Il y a des tas de gens en ville qu'il veut revoir. Et parmi eux, on y arrive, X, duchesse de X, fille du regretté X earl of X. Madé m'a prévenu, « elle » a une grande copine : Camilla. Quoi, Camilla qui ? Camilla ! Opportunément, je dis à Madé : « Écoute, si elle veut amener la duchesse de Cornouailles, tant pis, on se serrera et je ferai une pintade en plus du poulet, hop, au dernier moment, ni vu ni connu. La pintade, c'est goûtu. » J'espérais que, si on avait Camilla, Paul McCartney finirait par le savoir incidemment, il sait tout. Et ferait son possible pour être lui aussi invité à dîner chez nous. Ce type repère toujours les bons plans...

X duchesse de X, fille du regretté X earl of X, est arrivée vers huit heures, l'heure exacte où les Anglais passent à table. C'est Madé qui a ouvert la porte en poussant de grands cris de joie : « Hellooo ! X darling ! I missed you so much ! » Apostrophe exagérée sans aucun doute. Mais grande gaîté non feinte. « Tu m'as tellement manqué. » X met un escarpin à l'intérieur, se défait de son manteau en souriant. Elle est seule. De la cuisine où je m'active, j'interroge Valentine : Et Camilla ? Elle tourne en voiture à chercher une place, me répond ma femme qui a beaucoup d'esprit. Si elle n'en trouve pas, sûrement qu'elle repartira chez elle pour manger — sans quitter son manteau — des chips lightly salted en regardant un truc qu'elle voulait voir à la télé. On n'a plus le temps de rien.

X darling porte une robe gitane en velours, un boléro noir avec une broche de bazar, et au-dessous, j'ai oublié. Ce qui m'a frappé, c'est la qualité de ses cheveux. Du blond-roux, tirant nettement sur le roux-roux. Épaisse chevelure légèrement curly, à peine tenue par une barrette. Elle a eu soixante-dix ans, c'est sûr, mais il y a déjà quelque temps. Elle fait deux pas de plus dans notre maison. Elle écoute Madé lui raconter une anecdote ancienne dont elle ne se souvient pas et sourit à chaque césure de la phrase afin d'indiquer qu'elle entend, qu'elle n'a pas encore Alzheimer même si elle a tout oublié et que les gars, le titre de duchesse de X, elle le portera jusqu'au bout, autrement dit, cause toujours, des gens qui me raconte des choses dont je me tape, j'ai connu ça toute ma vie, au pis ça fait de la musique. D'où le sourire type Joconde. Elle est venue voir son copain qui l'a si bien reçu à Bali des siècles plus tôt et lui demander un avis sur un massif de fleurs qui ne donne pas de bons résultats. Elle grignotera quelques chips lightly salted, descendra trois grands verres de champagne, autant de blanc moelleux, regardera sa montre et dira Mes amis, je dois rentrer, j'ai du travail. C'est toujours une joie d'entendre des gens qui n'ont rien eu à branler de toute leur vie vous mentir avec autant d'aplomb. Du quoi ? Du travail ? Madame la duchesse, pas de blagues, si vous voulez aller faire un tour, please go on, pas de problème. Mais voici que V. s'avance, allure française parfaite, et Madé la présente, X la félicite pour sa maison, merci, merci, tout cela en anglais flûté des parcs et châteaux. Enfin, le poulet grillé embaume la maison, et tout ce joli monde s'approche de la cuisine au pas de promenade. Madé tient son rôle à la perfection. D'autres amis anglais qui sont là reconnaissent Sa Grâce, lui glissent un mot pour indiquer qu'ils ont « la carte ». Ça roule. Ça roucoule. Moi, je suis au fourneau, le grand tablier blanc, la serviette au coin du tablier. En T-shirt. Madé dit mon nom, X sourit à peine, dit en français :

« Du poulet ? » et tourne les talons pour s'approcher de la bouteille de blanc repérée en arrivant. Valentine rit en douce, Madé me murmure Elle t'a pris pour le cook. Ici, le maître de maison fait la cuisine, non, c'est une plaisanterie ?

Le dîner est très gai, tout en anglais, et comme je me fatigue vite, que les upper class font tout pour ne pas finir la fin des mots qu'ils prononcent, je perds le fil de la conversation. Alors je m'intéresse aux détails, à la façon dont un tel tient sa cuillère, aux coudes sur la table. Le langage du corps, dirait je ne sais plus qui. L'amie de Camilla, duchesse de Cornouailles – qui n'est donc pas venue, vous l'aviez deviné –, est au centre, loin de moi qui n'ai pas quitté mon tablier blanc. Au début, elle s'étonne que le chef s'asseye parmi les invités. Mais elle s'étonne à la façon discrète des Anglais. C'est-à-dire que rien ne la dérange. Après tout, on est là pour boire un coup. On n'est pas dans le chichi Balmoral. Ah-ah-ah. Madé occupe le terrain et chacun y va du dernier jardin qu'il a découvert et blablabla… Tous mes invités connaissent les jardiniers remarquables du royaume, qu'ils appellent par leurs noms comme un Marseillais connaît tous les joueurs de l'OM depuis trente ans et les appelle par leurs prénoms. C'est un monde qui s'ouvre devant moi. Plus tard, X a compris que le cuistot ne mangeait pas à table quand V., venue me souffler une chose à l'oreille, a posé son bras autour de mon cou. Tout le monde peut se tromper. Quand le repas fut terminé, en passant au salon pour le café, X m'a juste lancé, en français : Où avez vous trouvé votre vin blanc, il était bon... Et pour faire le malin, je lui ai juste répondu, chez Tesco. Oh ! Tesco ? Vous me donnerez l'adresse. Et nous avons ri ensemble. À ceux qui l'ignorent, je dois expliquer que Tesco est entre Prisu et Ed l'épicier. Y croiser une bonne bouteille ou une altesse en train de faire ses courses, rêve pas Sylvette... Nous nous quittâmes vers onze heures. Nos amis anglais épatés qu'une aussi grande dame soit venue picorer notre stilton, et nous avons senti que nous avions fait un pas de géant dans la hiérarchie. Oui, hein ? Vous le croyez ? Mais non, cher lecteur. C'était un simple accident. On dira que le carrosse avait versé dans une ornière, qu'il fallait réparer, qu'il y avait un village plus loin. Eh bien ! Faisons contre bonne fortune bon cœur. Pourquoi ne pas s'arrêter à l'auberge ? Demain sera un autre jour... la vie n'est qu'un voyage.

La vie n'est qu'un voyage ? dirait Éric. Cette femme remarquable ne t'a pas reconnu ? Monsieur est humilié ? Tu ne connais toujours pas sir Paul ? So what ? Laisse tomber. Les choses ne se passent pas si mal pour toi. Que voudrais-tu ? Que le monde entier se penche respectueusement sur ton passage, insupportable petit Français ? Tiens, puisque tu y es, raconte-nous comment X vous a reçus en retour, hein ? T'as pas mangé à la cuisine près de la litière du chat, que je sache ? Arrête de te plaindre !

Oh ! demandez-moi de quoi je me plains, je suis embarrassé. La réalité est que Jeanne d'Arc, que ces salauds d'Anglais ont brûlée, si elle n'avait pas été là pour battre les Bourguignons – qui font de bons vins blancs –, le roi d'Angleterre qui prétendait aussi être roi de France serait assis sur le trône. Aujourd'hui l'Anglais parlerait français. Et nous, Français, nous serions bien plus agacés d'entendre le monde entier estropier notre langue que ne le seront jamais les Londoners d'aujourd'hui. Je nous connais. Je fais partie des estropieurs de langue anglaise.

Nous avons dîné chez X, duchesse de X. Bon, je l'avoue. C'est vrai. Et c'était agréable. Du côté de Holland Park. Dans une de ces rues où glissent de rares voitures silencieuses. Où les trottoirs bordés de cerisiers du Japon, de maisons tranquilles ouvertes sur la rue, sans prétention, ne font que quelques petits huit cents mètres carrés au sol, avec un petit porche, une minisonnette charmante. Ding-dong. Et la porte

s'ouvre. Un grand garçon est là. Hey, Charlie !
s'écrie Madé. Hey you, Madé ! s'écrie Charlie.
Ils tombent aussitôt dans les bras l'un de l'autre.
L'accent australien et l'accent posh se mélangent. Nous sommes attendris. Vers l'intérieur,
on devine le couloir étroit, couvert de tableaux.
Au fond apparaît la duchesse. Toujours les
mêmes cheveux magnifiques. No « Réjécolor ».
Roux-roux-blanc. Elle parle français. Tiens
donc. Pour nous. Qu'ils sont couillons, ces
Français, aussitôt ils tombent sous le charme.
Passé le couloir, d'un côté le salon, de l'autre...
Venez par ici, dit-elle. Vers l'arrière, nous tra-
verserons un deuxième salon, plus « axé » sur
les livres. Des gravures aux murs. Une porte
vers l'extérieur. Un balcon. Sur une table, un
seau rempli de glace où baigne une bouteille de
vin blanc ouverte – Non ? From Tesco ? Yes –
Quelques marches. Flash ! Le jardin... Oh, oh.
On y est. Le fameux English garden. Celui
aperçu dans le cinéma de Peter Greenaway.
L'air d'Angleterre a été inventé pour sublimer
ce jardin-là, et, puisque le soleil se couche, les
roses, les orangers, les gris gorgés d'eau des
nuages, les coins de bleu lavande du ciel ont été
choisis avec soin pour l'événement. Les parades,
les « royals » et les jardins, il n'y a pas à dire,
sont des spécialités locales. Tandis que X papote
avec Valentine, Madé, Charlie boy et les autres,
moi qui suis incapable de me mêler à la conver-

sation autant que je le voudrais je m'éclipse vers le bas, descend quelques marches. Je foule le gazon. Comment dire ? Il ne s'agit pas à proprement parler d'un gazon mais d'une sorte de moquette verte vieille de cent ans au moins et qui rajeunit tous les ans. On lui taille les moustaches deux fois par semaine. Elle serpente dans le jardin au milieu des massifs posés là comme par hasard. Il y a du Watteau dans le jardin anglais. Il se prête à la confidence. Au secret. Il est plein de courbes et de bancs cachés. On s'y donne rendez-vous. Entre soi. Tête à tête. Dans un cul-de-sac. Voici des mots que les Anglais ont adoptés tels quels. Qui embaument l'Ancien Régime. Je crois. En m'éloignant de la terrasse, en écoutant les éclats de rire, le blanc de Tesco que l'on débouche encore, les chants des rouges-gorges, je m'enfonce dans la civilisation anglaise comme J.J. Audubon s'enfonçait dans la forêt du Nouveau Monde. Je me souviens de mon ancien métier de dessinateur, et s'il me prenait l'envie de tripoter un crayon par ici, c'est du côté de Fragonard le libertin que j'userais « ma mine ». Sous le feuillage. Au fond du parc.

Nous avons dîné ensuite dans une salle à manger. Minuscule. Où nos genoux s'effleuraient sous la table. Les plats étaient simples. Le pain, français. X fit un effort. Le vin rouge venait de Bordeaux. Il faut ce qu'il faut. La conversation mixte fut spirituelle. La duchesse vivait cette soirée comme une soirée de plus, dans une vie bien chargée en fêtes et feux d'artifice. Sans excès. Je remarquai un petit Delacroix et la duchesse fut ravie d'entendre que « j'y connaissais quelque chose ». Elle m'entraîna dans les autres pièces en me citant les noms des chefs-d'œuvre qui pendaient aux murs. De vieux chefs-d'œuvre convenables. Rien de moderne bien sûr. Contemporain ? Pardon ? Non. Nous n'avons dans cette maison que peu de goût pour ces choses. Madame, personne n'est parfait. Elle a ri en basculant la tête. Et j'ai vu combien elle avait dû faire chavirer de cœurs d'artichaut anglais. Des soirs de bal sous des lustres à pampilles. Charlie travaille « du côté du contemporain », « nous n'en parlons jamais ». Il fait quelque chose dans une importante galerie dont j'ai immédiatement oublié le nom. Je suis stupide. N'importe qui retient le nom de Haunch of Venison Gallery. Nous avons pris congé juste après onze heures. C'était bien calibré. Au revoir au revoir. Let's keep in touch.

Tandis que nous roulons vers notre maison, je pense à mon père, quatre-vingt-quinze ans, qui là-bas dans le Midi mangeait sa soupe comme tous les soirs, vieil homme seul en tête à tête avec la télévision, tandis que nous dînions chez la duchesse. Je pense, pardon de l'avouer, à ces mondes éloignés dont est fait le monde. À mon statut de passager. De témoin furtif. Que l'on ne s'imagine pas que je puisse ici développer une théorie, une pensée fumeuse sur la lutte des classes. Non. Mais il m'arrive de me sentir absent. Étranger. S'amuser de ceci ou cela n'y change rien. Fin de séquence.

Et début de la même.

Dans ce Sud où je reviens sans cesse, où je vais m'asseoir sous les platanes avec de très vieux élèves de la classe de CP 1954 pour entendre des blagues éculées qui ne font rire que nous, j'ai croisé l'autre jour Manu, avec qui j'avais joué enfant. J'ai tourné la tête sans comprendre le regard devenu dur de mes amis attablés à la terrasse du bistrot. L'un d'entre eux m'a poussé du coude. A murmuré : Là, Manu. Méconnaissable, il passait près de nous. L'air absent de celui qui supporte les railleries, il traversait les tables où s'étaient installés les touristes et leurs bambins. Sous son bras, il cachait une bouteille de pastis achetée à la supérette. Au café où nous étions, personne ne voulait le servir. Depuis longtemps. Il était sale à faire peur, ébouriffé. Il était désolé, un champ envahi par le chiendent. Il escortait la bouteille de pastis jusqu'au trou où il vivait, pour la vider loin du monde, et s'endormir ensuite du sommeil de l'ivrogne.

Enfant, Manu était gentil. Adolescent aussi. Il plaisait bien aux filles. Il avait croisé le pastis sur son chemin vers l'âge de trente ans et le pastis, ce fameux apéritif, était devenu sa raison de vivre. Son grand copain. Il avait perdu femme, enfant, amis, travail. Seule la bouteille était restée fidèle. Elle lui tenait chaud les soirs d'hiver, frais les nuits d'été. Un long moment, nous l'avons suivi des yeux. Il s'éloignait du pas lent, instable, des grands pochards. Il faisait peine à voir. Plus une once d'estime de soi. Il est cuit : voilà ce que diagnostiqua le reste de la classe de CP de 1954. Qui aimait bien Manu. Qui ne pouvait plus rien faire et qui, l'air grave, assistait au naufrage d'une vie. À la descente solitaire, titubante, vers une mort annoncée.

Nous fûmes étonnés, au début de nos années anglaises, d'entendre des amis dire que leur week-end avait été si réussi qu'ils avaient roulé sous la table et s'étaient vomi dessus. Le nombre de kilos de viande saoule qui traînent dans les rues le samedi soir à Londres est impressionnant. Tous âges confondus. L'apprentissage commence dès quinze ans. C'est à peine si l'on ne distribue pas ici des médailles de saoulerie, tellement l'idée selon laquelle il convient de se torcher pour s'amuser est naturelle. Vers 5 PM, le vendredi, les pubs se remplissent d'une foule bavarde, bon enfant, qui déborde sur le trottoir et plus tard dans la rue. Chacun est arrimé à sa pinte de bière. Ça dure et ça dure. Peu importe que vous portiez le stripe suit, le bonnet de worker, le jean baggie du jeune au crâne rasé, la pinte est l'emblème du vendredi soir. En boire trois est normal, plus est mieux. Jusqu'à la fermeture du pub, on peut rester là, dans la rue, à jacasser devant son verre. Plus tard dans la nuit, les choses se compliquent. Des groupes de jeunes gens se tabassent, pour un oui, pour un non. Pour peu que ça dégénère, on brûlera quelques poubelles, des vitrines exploseront. La police arrivera. On se souvient alors des recommandations alarmistes de la divine presse tabloïd anglaise lors des émeutes de banlieue en France, indiquant les itinéraires « safe » par la Belgique, la Suisse, pour se rendre en Italie en évitant la France, ce pays de sauvages, à feu et à sang ? Cet été 2011 où Londres fut « agité » a été mémorable pour les Londoners, si well educated, si polis, tellement civilisés. Tout arrive.

Six ans révolus. C'est l'après-midi. Je vais par Victoria Grove, sous le couvert des platanes géants, vers High Street Ken'. Les passants ne me sont plus tout à fait étrangers. Les étudiantes américaines en surpoids de l'annexe de Richmond University qui draguent en groupe assises sur les marches de leur école. La longue liane pressée, Starbucks coffee au bout des doigts. L'émigrante ancienne, petite femme levantine au visage ingrat. L'émiratie entièrement recouverte de crêpe noir laissant dépasser un morceau de jean Gucci en bas de sa longue robe. Londres. Je vois par le détail le genre humain local aller et venir.

Les Chinois de Stick and Bowles, travailleurs, âpres au gain, accepteront-ils de me faire encore crédit les jours où, cervelle de piaf, je sortirai sans le billet de cinq livres pour payer mon plat de noodles quotidien ?

En face de leur gargote, de l'autre côté de l'avenue, on aperçoit l'admirable allée de Palace Garden Avenue, où logent les ambassadeurs. Toujours cette impression de calme qui n'en finit pas, lorsqu'on se pose à l'entrée de cette rue privée. Sans voitures. Large comme le boulevard Saint-Germain. Ce monde dans le monde. Avec ses joggeurs dans leurs Nike Air dès six heures du matin, hiver compris. Car on jogge à toute heure. Ici, le sportif pose un pied sur le dos du banc « in memoriam » et étire la jambe avec la mine grave des êtres humains qui ne comptent pas pour du beurre. Tout à l'heure, après la douche, il ira du côté de la City faire valser les millions à la vitesse de l'éclair. Trottinent ensuite les obèses du Golfe. Toutes petites foulées, barbe islamiste, vêtements de sport rutilants. Escortés de leur « personal trainer », doux balèze tatoué comme un Maori. Voici maintenant les jardiniers de Kensington Garden, dans leurs voitures électriques vert gazon anglais. La « floral walk » est leur chef-d'œuvre. Le terrain de jeu des écureuils. Je l'arpente souvent, pour réfléchir, pour me morfondre, pour respirer, bref, une de mes activités essentielles dans ce pays. Elle amène tout droit à la Serpentine Gallery. Une petite villa est posée au bord de ce plan d'eau, mi-rivière, mi-étang, qui traverse Hyde Park. On y voit de fameux artistes montrer des « sculptures », des « installations » qui nous faisaient bicher au début des années soixante-dix. Qui aujourd'hui me laissent perplexe. Une embarrassante impression de déjà vu. « Déjà vu ». Encore une expression que les Anglais adorent. Comme fiancé, beau ou papa, mamma. Tant de mots français qui parlent de sentiments, et que les Anglais ont adoptés sans façons. C'est delightful, d'entendre une belle fille upper class, une splendeur à la peau transparente, à la crinière rouge, prononcer « papah » ou « mammah » avec la finale aspirée. Comme s'il s'agissait de garder un souffle au fond du corps. Une bouffée intime qui ne se prête pas. Les Anglais nous admirent.

Vous avez bien lu.

Dans *The Observer* : « French is too important to be left to middle-class Francophiles. » Ou encore : « Studying French has provided me with a new mental landscape. » La langue française serait un nouveau territoire mental ? Mais oui. Pas le chinois ? Ou l'arabe ? Le français serait une langue si importante qu'il ne conviendrait pas de la laisser écorcher par... par... Oh ! Quelle horreur ! Vous avez dit « la middle class » ? L'auteur de ces deux citations a de l'esprit. Il nous indique qu'il « vient », lui, de la working class – et, c'est inouï, qu'il a aimé le quartier de Barbès. Ça se soigne, docteur ? On trouve en Angleterre des « intellos luttant contre la Francophilia » qui aiment tant le français qu'ils refusent de le partager avec tout le monde. C'est-à-dire avec les « classes » inférieures. N'est-ce pas qu'on est aimés ? Ce petit goût de privilège, là, remettez m'en donc une larme. Bien sûr, ce sont des querelles de spécialistes. Of course, il faut étudier la France comme un anthropologue étudie au pays des Bantous. De l'empathie n'est pas nécessaire. Le *monsieur anglais* qui piétine les déjections canines parisiennes et en fait un livre est un bon exemple.

Un autre, trouvé dans la presse : Supposez qu'une femme soit élégante, autrement dit qu'il ne lui ait pas poussé au milieu du corps, vers l'âge de dix-sept ans, le charmant petit bourrelet témoin des stages assidus au pub du vendredi soir. On dira ici : elle « fait française ». Étonnant, non ? Le journal titre : « Comment

font les Françaises pour ne pas avoir de bide ? »
Et donc, misère, à la poubelle régimes, clubs de
gym, tout ce bazar où l'on se vautre. Vous êtes,
Anglaises, devant ZE enigma. Et voici que
pour le faible prix de ce petit livre, un Français
dit tout. Oui, je dis tout. Voici donc ZE secret
qui fait des Française des femmes minces.
Écoutez ce qui suit, c'est l'unique raison : (là, je
baisse la voix) Les Françaises restent minces
parce... qu'elle se fliquent. Capito, darling ?
Entre elles. Oui, entre elles.

Cruel, non ? La voilà, la vraie raison.

Quand une Française entre dans un lieu
public – la terrasse du café Marly au Louvre –
rempli d'autres Françaises, elle sent, sur chaque
centimètre de son corps, les yeux sévères de ses
compatriotes déjà en place scanner le gras
superflu. De la tête au pied. Pire. Le diagnostic
vachard se lit dans leur regard. Une grosse
vache française – et d'ailleurs il n'y en a pas –
n'osera JAMAIS mettre les pieds dans un tel
milieu hostile, et, au lieu de s'empiffrer de chocolat, elle se goinfrera de haricots verts assai-
sonnés d'un filet de citron. Sinon, adieu les
copines. Bonjour la honte. Merci les mecs
comme des chiens qui veulent se taper la dodue
– pourvu que personne ne le sache. Bonjour la
solitude. La fringale. Le courrier des lectrices
qui ne répond jamais et qui ne renvoie pas le
timbre. J'en passe.

En revanche, à Londres, il n'est pas rare de voir de jeunes grosses vaches locales nourries exclusivement au Mars deux doigts coupe-faim, au Krispy Kream's, colorées comme Maya l'abeille, les cuissots de mammouth à l'air, le nichon débordant d'un bustier rouge, arriver et glapir : Hi ! Guys ! Les autres Anglaises lui répondront bonjour gentiment sans exiger illico, comme en France, que la malheureuse disparaisse par une trappe magique ouverte par le bon Dieu des Minces-Magnifiques. À Paris, la gentille fille en surpoids est désossée au chalumeau à la vitesse d'un rafiot au Bangladesh – c'est juste une image approximative. Disons-le, la « chubby » est sur ses gardes. Elle en bave.

Les Anglais nous admirent aussi parce que nous sommes capables de manger l'ail à la louche sans tourner de l'œil. Et la viande à moitié crue. De mettre une somme folle dans une bouteille de vin. Ou de supprimer de notre alimentation le vol-au-vent alors qu'ils continuent à picorer des pies bourrés de listeria sous prétexte que c'est « cuisine locale ». Et hop, au micro-ondes. Tellement pratique, hein, Vicky ?

Les Anglais nous admirent car, comme eux, nous n'hésitons jamais à donner notre avis, surtout si, comme eux, nous ne savons pas de quoi nous parlons. Je me souviens d'avoir lu, au début de mes années anglaises, cette phrase sans appel sous la plume d'un de ces admirables columnist : « *Being French allows certain individuals to take certain liberties with the usual order of things.* » Voilà qui est clair. L'ordre des choses ? Il est anglais, n'en doutez pas. Il est patent que l'Europe entière conduit du mauvais côté et que vivre dans une île où tout pousse, la mauvaise foi comme le côté « sneaky », est d'un grand avantage. On reste souvent coi face à l'admirable excentricité britannique. C'est dit. Nous qui prétendons aussi, pauvres foolish que nous sommes, que le bordeaux est... Non. Ou alors vous êtes d'une grande ignorance. C'est un vin anglais. Au début du siècle, les bateaux des marchands de la City venaient récupérer le clairet sur les quais de la Gironde. Si quelques propriétaires « posh » du Médoc ont opté pour le français parlé avec accent anglais, c'est pour des prunes ? Pince-moi, Sylvette, je rêve.

Si notre président suggère au Prime Minister de se la boucler au prétexte qu'il déteste l'Europe et qu'il n'a pas son avis à donner, qu'on sait déjà ce qu'il va dire, OK, merci David, cela fait partie de cette « *liberté que prennent certains Français avec les usages* ». La prochaine fois, c'est promis, on va se gêner. Voilà. C'est dit. Sorry about that.

Novembre. Londres. Ciel bas.

Comme l'été 2011 s'achève tard, qu'il fut, à bien des égards, inoubliable, qu'il avait mal commencé et si bien fini, c'est un régal de goûter le gris anglais. St. James Park vire au jaune et rouge. Le vent d'ouest effeuille la forêt sans bruit. Retour des squelettes. Je lève les yeux de mon clavier et contemple le gris pur comme un seul trait de pinceau au-dessus des toits…

Ce soir ? Halloween.

La rue est pleine de sorcières de charme. Les passants rient, s'interpellent. Les enfants piaillent. Déguisés en minimonstres de sept à soixante-dix-sept ans. Nous aussi avons creusé la courge et allumé la chandelle. Devant la porte, elle signale que nous serons de la fête. Toute la nuit, des inconnus déguisés, des voisins, des petits, sonneront à la porte à un rythme soutenu. Trick or treat ! Bonbons garantis. Hortense, ma fille de seize ans, a convoqué ses amis pour manger des trucs gluants. Elle s'est composé une tête effroyable. Elle est enchantée. Djinns, trolls et witches au balcon ! C'est émouvant de découvrir les Londoniens volubiles comme des Napolitains. Sécheront-ils un jour le linge aux fenêtres ? La pluie le rincerait. Et faciliterait le repassage. Le temps, cette nuit, n'embarrassera personne.

Plus tard, à l'approche de Noël, viendra le temps des Christmas parties où l'on reçoit, pour un verre de blanc du Nouveau Monde (!), ses amis, les amis d'amis, et peu importe la taille du salon. C'est charmant. Deux cent cinquante personnes debout dans trente mètres carrés, parlant fort, éclatant de rire, me font regretter de n'avoir pas été assidu à mes cours d'anglais. Mais bon, je me débrouille. Ah ! C'est sûr, à Paris, je ne laissais à personne le soin de dire des bêtises à ma place. Tandis qu'ici...

Peu à peu, la rue anglaise s'est travestie en rue de Noël. Boutiques, marchés, supermarchés, regorgent de choses si nécessaires dont nous n'avons pas besoin. Come on, Vicky, fais chauffer la Gold.

Si le crachin mouille la ville, c'est plus beau encore. Les taxis, les bus, luisent. Au retour des courses, on a les pieds trempés, le cheveu qui frise, et l'on s'étonne, qu'est-ce qui m'a pris d'acheter des trucs pareils ? Les amis venus de Paris ont l'impression qu'une belle fête se prépare. Pour eux, souvent, Londres est un mélange de *Mary Poppins*, de *My Fair Lady* et du passage piétons d'Abbey Road que traversèrent les Beatles. Comme, pour les Anglo-Saxons, Paris ressemble à un air d'accordéon. Des amoureux qui s'embrassent. Depuis que Woody Allen a été embauché – voir son dernier film – par l'office du tourisme, on atteint des minisommets d'idées reçues. Anyway.

Ces allers-retours entre souvenirs et vie d'aujourd'hui disent que la nostalgie nous retient par la manche. Monte à cru sur nos épaules à la façon d'une figure noire de Goya. Imaginez un peu le « standard » si vous vous piquez d'écrire. Les morts gouvernent les vivants, dirait l'autre. Vous, Anglais amateurs de parades chamarrées, de rules, vous, Américains chantant Paris dans le goût de Gertrude Stein, et moi, Français de Londres, incapable de me projeter dans l'avenir d'une ville qui a l'ambition d'être au centre du monde.

Nous savons que le centre du monde est l'endroit où nous sommes, si bien que, surpris, tournant la tête de tous côtés, nous pensons : Ah ! ça n'est donc que ça ? Et voici que nous tendent les bras les plaisirs passés, les tristesses recuites. Nous les tétons avec délice. Ils sont nos chers fantômes. Ils nous attendent au coin du bois. Du feu de bois. Cette année nous avons un très grand sapin. L'odeur de résine remplit la maison. Chez Harrod's, nos amis français ont repéré des boules magnifiques. Alléluia.

En 1956, dans le Midi, le sapin coupé en fraude que rapportait mon cousin Jeannot devait tenir en longueur sur sa moto pour parcourir les dix kilomètres qui séparaient sa pinède de la commode de notre chambre où il finirait ses jours. Jeannot avait une deux-temps Terrot, une canadienne au col en peau de vrai mouton, des cheveux passés à la brillantine, un béret à l'intérieur enduit aussi de brillantine et un nez aquilin remarquable, très long, qui lui touchait presque le menton, quelque chose qui lui donnait une physionomie gasconne – alors qu'il était du Midi. Comme tout le monde. Jeannot était vieux garçon. Il avait choisi de s'occuper de sa mère. Et des vignes. En décembre, il ficelait le sapin le long de la moto, la pointe en avant par-dessus le guidon, ficelait encore le tout pour aplatir les branches basses. Il enjambait l'attelage. La cuisse par-dessus le sapin. Il enfonçait le béret sur son crâne et serrait par-dessus ses lunettes de moto. Un sandow autour de la taille tenait la canadienne. Un coup de kick. C'était parti. Il arrivait de Boutenac. Parfois, il rapportait aussi des champignons. Au printemps, des asperges. Il était profondément gentil, patient, silencieux. C'est un honneur rendu aux fantômes que de vous parler de Jeannot qui traversa humblement la vie. À moto, deux-temps, cent-vingt-cinq centimètres cubes. Sans jamais se plaindre ni rien demander. Il avait la politesse ancienne. Il disait : Eh bonjour tout le monde, mesdames, messieurs. Pas salut. Ni salut la compagnie. Il disait aussi : C'est dommage qu'il fasse froid, sinon, je t'aurais bien volontiers fait faire un tour de Terrot. Bien volontiers, personne ne disait bien volontiers. Le dimanche, il allait au bordel à Béziers et mon grand-père lui lançait, pour rire : Alors, Jeannot, tu vas voir le match ? Comme les

femmes de la maison savaient que Jeannot, qui
était vieux garçon, comme je l'ai dit, allait aux
putes, elles détournaient le regard ou faisaient
exprès de parler d'autre chose, genre : Eh bé,
Jeannot, vous ne prenez pas du dessert ? Et
mon papé ajoutait : Le dessert, il le prendra
plus tard. Puis il riait aux larmes et se faisait
engueuler par toute la famille. Jeannot, lui, restait silencieux. On lui proposait un petit diges-
tif. Il disait Non merci, j'ai fini de manger, je
vais y aller, je ne vais pas vous déranger. Il allait
prendre l'autobus. Jamais il n'allait chez les
putes à moto, il la garait chez nous. Va savoir
pourquoi. Il rentrait le soir, les couilles vides.
Un petit coup de kick, la moto repartait dans
la nuit. La pelote de ficelle du sapin au fond de
sa poche, prête pour un autre usage. Il retour-
nait au village où sa mère avait dû faire du feu
en l'attendant.

Il passa sa vie, seul dans les vignes, à soigner
les carignans. Le soir, il mangeait la soupe avec
la vieille femme et puis il lisait. Il avait une
bibliothèque impressionnante. Que des Série
noire. Je crois que je les ai toutes, disait-il.
Modestement. Il est mort un matin d'hiver. Sa
dépouille a retrouvé la dépouille de ses parents
dans le caveau familial. Des squelettes d'oncles
valeureux. Morts à la guerre de 14. On a fermé
la tombe. Fini. Pas une fleur ne sera jamais

posée sur la pierre. Il se peut que je l'aie dit plus haut : c'était un vieux garçon.

Un mot qu'on n'emploie plus.

Ou pour moquer un forban qui a changé cent fois de fiancée. Un qui, ayant découvert tôt les vertus du célibat, du peace-love en même temps que les bandanas à fleurs, s'en « est tapé des caisses ». Je sais bien que l'expression est ignoble mais elle est si parlante. Un qui porte beau, toujours ou à peu près, et qui sera sur le pont, si j'ose dire, jusqu'au bout et au-delà. Un qui, passé cinquante-cinq ans, continue à porter le Levi's 501 comme à vingt-cinq. Malgré le bide qui déborde. Vous en connaissez aussi. Je ne dénonce personne.

Tandis qu'à Londres, le vieux garçon, c'est autre chose. Tweed and cashmere. Il vit souvent dans un mews : une de ces minuscules maisonnettes humides où autrefois on mettait les chevaux. Parce que c'est convivial. Les voisins vous espionnent du matin au soir. Et comme il n'a rien dans son fridge, ce soir justement, il ira sonner chez sa voisine Sarah, prétextant qu'il est revenu du bureau sans s'arrêter chez Tesco pour acheter, comme tous les soirs, un pie pour accompagner sa bouteille de vin blanc — du Nouveau Monde. Oui, il est crevé, le boulot, tous ces trucs, quoi, il a oublié, so sorry, et que... Pas grave, répondra Sarah, qui vit seule avec sa chatte Minette depuis dix ans, je vais te faire chauffer le pie au microwave, pointe-toi dans une minute avec ta bouteille de blanc, j'en ai moi-même deux au frais. Deux bouteilles plus une. Presque trois litres, donc, on va pouvoir faire quelque chose, et tiens, j'y pense, qu'est-ce que tu dirais de me mettre une bonne petite bourre ? Fonce chez toi, j'enfile un string de combat, un truc sexy pour rigoler un peu mon chou et reviens avec ta b. (B pour bouteille) et ton couteau. Cool. Et c'est là, devant la porte, juste avant de sonner chez Sarah Big Boobs, que le vieux garçon anglais se dira : Good Lord ! Chelsea Arsenal tonight ! Fuck me ! Il se rappellera alors qu'il a aperçu des cacahouètes rances dans un bol. Qu'elles feront parfaitement l'affaire. Alors, rebroussant chemin sur la pointe des pieds, il entendra, venant de chez sa voisine, comme une plainte, un court gémissement. Signe que Sarah, en embuscade derrière la porte, aura deviné que ce soir, non, décidément, elle ne rompra pas cette longue abstinence qui lui pèse.

À Londres, il y a aussi le vieux garçon à boutique vintage.

Ah ! Celui-là, oui, a l'air anglais. Il s'exprime avec l'accent flûté de Sa Majesté. Balance quelques mots français pour faire voir qu'il est well educated. Le tweed, les marques qui font bicher les minimilords des beaux quartiers de Passy, c'est ici, c'est bien simple, il se roule dedans depuis toujours. À l'arrière de St. Mary Abbots, il y a, dans une ruelle cachée, quelques boutiques où l'on propose toutes ces choses. Où peut y habiller un coquet petit monsieur de Paris de pied en cap. C'est du usé aux coudes à merveille – selon la coutume de la noblesse locale obligeant son butler à porter le costume d'abord, pour assouplir le tissu. Là, je rêve, Sylvette. Tu le crois, ça ? Info à vérifier. Le truc me paraît incroyable. La couleur des cravates est « inouïe » et le vieux garçon anglais assis sous les manteaux vous regarde gentiment en se disant : De combien de pounds vais-je plumer ces snobs insupportables de Français ? C'est un des rares endroits de la ville où l'on n'accepte votre credit card, chose qui n'arrive jamais ailleurs où l'on paie une Chupa Chups avec sa Master Gold Super Black VIP sans problème.

Ce vieux garçon-là est différent de celui qui sévit dans les antiquailleries. Moins « gay », comme on dit ici. Pour renforcer mon reportage, il faudrait que j'en interroge un. Considérant tous les Français de France que je lui amène par an, et vu le pognon qu'ils claquent grâce à moi dans son antre moisi. Entre nous, je peux.

Question : James, sorry about that, n'y voyez rien de personnel ou de rude, mais je soupçonne que vous n'êtes toujours pas marié, izentit ? (J'aime beaucoup l'Izentit qu'emploient à tort et à travers les Français, alors que le Douillou est tellement plus affectueux, plus polisson, plus chanson à Saint-Tropez en somme.)

Et voici, en forme de palimpseste, la réponse amusée de James.

James : My dear, actually, je ne suis pas certain d'avoir compris votre question (là, il gagne du temps). Je l'entends comme une demande discrète de payer avec une carte de crédit. Unfortunately, malgré nos efforts répétés pour répondre à cette demande de nos clients, nous avons le regret de vous informer que rien, personne, ne peut nous contraindre à accepter toutes sortes de cartes de toutes les couleurs. Obviously, dans un souci d'apaisement et comme vous êtes un de nos bons Français « prêts à traire », nous sommes encore sûr d'accepter, comme toujours, sans aucune réduction de tarif possible sur nos produits, les banknotes émis par Sa Majesté.

Get it ?

Avec le temps, j'ai pris l'habitude de ne plus être embarrassé par ce genre de réponse. Le Français aime user sa salive en discussions sans fin sur le sexe des anges. Il est friand de causes perdues. Il votera toujours Poulidor. Il « montera au créneau » pour un oui, pour un non. C'est un scandale, monsieur ! L'Anglais renifle très vite, si c'est négociable, si le temps perdu à parlementer vaut la chandelle. Il a plus de nerfs, moins d'ego. C'est un marchand.

Hier soir, nous sommes allés du côté de Camden Town dans un vieux théâtre bouffé par les mites et transformé maintenant en salle de concert. C'est Ivan qui nous avait invités : Nile Rodgers à cette date unique rejouera tous les hits disco que nous adorions à la fin des années soixante-dix. Cool.

Nous étions déjà venus dans cet endroit obscur à bien des égards pour écouter deux très jeunes filles exportées de Los Angeles, charmantes personnes dont nous avions aimé l'album de musique Beach Boys revue au synthétiseur. Hélas, ce soir-là, le public de teenagers hurlait de joie en écoutant le « heavy métal » atroce que les deux gamines nous infligèrent toute la soirée. J'étais sorti de cet enfer sourd comme un pot en me jurant qu'on ne m'y reprendrait pas. Et là, inquiet, je reprenais le même chemin sans grand appétit. Pour « du disco ». Bon.

Et alors…

Que. Des. Vieux. Des crânes dégarnis. Des filles de mon âge à qui on avait greffé un bide. Un casting royal pour celui qui souhaiterait ouvrir une maison de retraite pour night-clubbers. On m'objectera que prendre sa retraite du côté de Camden, il n'y a pas pire punition. I do agree.

Vendu à l'entrée, le T-shirt blanc imprimé d'un rasta à lunettes noire annonce que « Le freak, c'est chic ». Cool. On s'arrête au bar, le temps d'écluser un godet d'un litre de bière, et, comme dans les concerts pour jeunes, une bande de techniciens à la mords-moi-le-nœud, tatoués comme des bagnards, le cheveux long, l'œil morne sous des lunettes noires de bikers, terminent, avec des mines de mecs à qui on ne la fait pas, de longs essais pénibles pour le public. Ça n'est pas possible de régler leur bazar plus tôt. C'est comme ça. Évidemment, on est tous debout. Les grands devant, les petits derrière et démerdez-vous. Viennent ensuite les jets de fumée. On se sent jambons dans une cheminée du Lot. Je parle ici du Lot pour être agréable à nos amis anglais, bien sûr. Où ils finiront par fonder un État. Associé à la Couronne. Ivan est ravi. Il me dit : « You must dance, right », et je lui réponds : « T'inquiète, je vais peut-être me rouler par terre. » Il est satisfait. Attention, ça va commencer. Des musiciens entrent furtivement sur scène. Vestes blanches. L'un d'entre eux porte une casquette Monsieur Hulot. Et la barbiche de Monsieur Brun. Et puis voici Nile Rodgers, cool, la guitare pendue sur la hanche, la même veste blanche, les lunettes énarque années Chirac, les dreadlocks descendant par paquets jusqu'au bas des reins. Il fait sonner deux accords. Deux « Hi babe » noires viennent près de lui, moulées dans du argenté-lamellé-collé aux boobs, la dent blanche Joséphine Baker. Le rouge à lèvres qui tue.

One, two, tree. C'est parti.

Là, j'ai bien envie de vous décrire ce qu'il advint dans l'heure qui suivit. Pour ce faire, je dois vous demander si, par hasard, dans les glorieuses années soixante-quinze-quatre-vingt, vous avez fréquenté le vieux théâtre du Palace à Paris, devenu en ce temps-là repaire de night-clubbers de haut vol. Si vous répondez oui, béni soyez-vous. Séchez vos larmes. Ce soir à London Camden Town, le disco fut de retour. Tous ces anciens fêtards qui gigotaient au parterre de la salle retrouvaient une joie magnifique à voir. Une joie qu'ils avaient connue trente-cinq ans plus tôt quand ils étaient jeunes et beaux. Quand ils pointaient, en shakant leurs fesses, le doigt vers le ciel, narguant les anges et les dorures. En braillant « *Everybody dance* » de toutes leurs bronches tapissées de longue date à la fumée de haschisch : le freak, c'est chic. Ce fut gai. Émouvant pour des gens qui n'avaient rien oublié, qui savaient qu'avant les années sida il y avait eu une courte époque où la nuit avait été éclairée par de fascinantes phalènes. J'écris ces lignes en me souvenant encore de tout, parce que ce soir de fête retrouvée à Camden a correspondu au dernier souffle à Paris d'une femme unique qui fut la reine légère et rieuse de cette ère révolue. Sorry. Name dropping non appropriate. Et pour finir, quand Nile remercia le public en racontant une « petite anecdote » où il était question du cancer qui le bouffait et du répit que lui avait laissé cet « embarras » pour revenir nous faire danser, qu'il demanda au public de monter sur scène pour chanter et danser avec lui et ses deux chanteuses divines, je vous le dis, oui, car je n'avais jamais vu ça, ce soir-là à London Camden Town, il y eut une belle fête. Bye-bye, Loulou.

Me voilà, direz-vous, bien frivole, moi qui vous ai entretenu plus haut de pauvres humains croisés dans mon Sud natal.

Et alors ? C'est que je navigue à vue. Si la brume de Londres s'ouvre sur un coin de ciel bleu, sur la moindre forme, colline, palme, au moment où je me sens perdu, aussitôt je retrouve la mémoire. Ici, à Kensington, j'ai revu mes plus chers fantômes. Ils sont, dirait Giono, en cercle autour de moi. Ils appuient leurs mains sur ma table. Je reconnais à ce poignet la montre d'un ami que je n'avais pas vu depuis bien longtemps. Ces doigts fins sont ceux de ma mère, avec son alliance. Il m'arrive de sentir un souffle et d'entendre des rires. Comment vous dire, je ne m'en lasse pas. Je n'ai le goût de l'écriture que dans ces moments-là.

Oui, bien sûr, je navigue à vue.

Rien ne me plaît tant que l'impromptu. Le hasard amusé qui ouvre la bouche en O. Une jeune effrontée de Fragonard s'enfuit ? Je ne suis pas venu à Londres pour fuir. C'est le vent dans la voile qui m'a déposé sur cette côte. Comme je n'ai pas de vocation de boucanier, alors je regarde. J'accumule les points de vue imprenables. Les nouvelles odeurs. Les bruits inconnus. Les chants du rossignol. Les filles noires gigotant dans un théâtre de Camden. Je me compose un herbier sentimental. À la fin, je le range dans un tiroir secret. Je l'oublie. Je l'ai perdu, que c'est triste. Je m'agace. Plus tard, je ne sais jamais quand ni comment, le miracle opère. Les fantômes échappés de l'herbier perdu reviennent en désordre à ma table.

Ce « souvenir » que j'appelais encore Paris au début de mon voyage anglais s'efface peu à peu. Je suis à bord d'un voilier qui dérive au large. En silence. Je distingue encore les couleurs de la côte. Le vert, le blanc des façades. Ensuite tout se fondra dans le bleu. Qui s'étire.

Qui se retire. Une montagne aura la taille d'un coin de biscuit. C'est fait, on est parti.

J'ai retrouvé une photo de moi en Angleterre, une image du début. Il y a plus de six ans. J'étais déjà là ? Mes enfants sont devenus grands. Assez anglais. Ils vivent loin maintenant. Bientôt, je pourrai visiter, pourquoi pas, le Devonshire, le Nottinghamshire, le Gloucestershire. Les églises. La campagne. Les perdrix sur le chemin. Les moutons. L'odeur de ceux de mon enfance. Et ce jour d'automne où je fus d'un courage rare.

Le jour des moutons.

Au temps des dernières transhumances, les bêtes descendaient par milliers des causses. Elles allaient prendre le train vers l'abattoir. Ces moutons-là n'étaient pas de gros moutons anglais à la tête noire, équipés de doudounes de laine. C'étaient des moutons du Midi. Maigres, à long cou, qui ne bouffaient que des cailloux. Qui avaient des lambeaux de toison sale, des dreadlocks pendant derrière eux. Qui bêlaient à fendre l'âme. Qui puaient. Des bêtes de sac et de corde à l'air sévère. Quand le berger m'a aperçu, enfant plus maigre qu'un de ses animaux, seul au milieu de la route, au retour de l'école, il avait juste grogné : Pousse-toi, petit, monte sur le talus.

Quoi ? Moi ? Il n'en était pas question. Le chemin sur lequel je revenais de l'école était le mien. Personne ne pouvait me demander de m'écarter. Même pas les grands qui me foutaient des raclées. Jamais. Les brebis passeraient sur le côté, elles aussi. Je ne lâcherais rien devant des bêtes aussi laides. C'était un très grand troupeau. Plus de deux mille têtes. Escortées de beaux chiens. De grands sportifs. J'ai mis mon cartable devant moi, sur ma poitrine, j'ai pris un air conquérant et, immobile, je suis resté au milieu de « mon » chemin. Le berger a sifflé. Crié des choses dans la langue des chiens et des moutons, tandis que le troupeau compact avançait vers moi.

J'avais sept ans.

Levant la tête, les bêtes m'aperçurent, hésitèrent, bousculées par leurs copines qui tentaient de les enjamber. Elles me regardaient d'un air agacé, bêlant et me contournant. Quelques instants plus tard, je fus au centre d'un monde de laine, hébété, suffoquant. Accablé par la puanteur. Prêt à céder. Cela dura longtemps. Loin devant, le berger faisait claquer son fouet et sifflait des trilles bizarres. On aurait dit qu'il avertissait les bêtes : Laissez-le ! C'est un enfant prétentieux ! Pour qui se prend-il ?

À la fin du convoi, un autre berger fermait la marche, un vieil homme harnaché dans un sac de jute de l'épaule à la taille, la « bouillazo » affreusement tachée, large, enfoncée sur le crâne. Son visage creusé par la pluie et le vent lui donnait la mine d'un masque de carnaval au sourire figé. Il me dépassa et dit : Bonjour petit. Alors, sortant de ce fleuve d'odeurs, au bord de l'évanouissement, pas peu fier d'avoir tenu le coup, je lui ai rendu son bonjour d'une voix chevrotante qui l'a fait éclater de rire.

Je suis allé deux fois, je crois, dans la campagne anglaise. Celle des moutons à doudoune. Des paysages de collines, de dômes et de barrières où s'accrochent des fils de laine. La terre était grasse. Propice aux champignons. Les bêtes paissaient, et comme ces jours-là il faisait beau, l'Angleterre m'avait paru charmante. Nous avions été invités dans une petite maison de brique en haut d'une côte, face à un pré. Les mamelons se succédaient jusqu'au fond du ciel moucheté de nuages. Nous avons bu du blanc – hélas du Nouveau Monde – et puis, pour faire glisser le pie qui collait au ventre, nous avons fait un tour à pied par des sentiers. J'avais d'autant plus l'impression d'être dans une version moderne de *Sense and Sensibility* que la Range cabossée d'un *yeoman* nous doubla en plein champ et que mes amis échangèrent avec ce paysan à l'accent posh quelques mots où il était question d'une jeune lady échappée. Renseignements pris, il s'agissait d'une brebis. L'homme s'est éloigné. Nous avons retrouvé la bête dans un creux, près d'une copie de temple de Diane, construite là par hasard, au siècle dernier, peut-être par un excentrique qui aimait jouer du hautbois loin du monde. J'écris du hautbois mais en fait je n'en sais rien. J'imagine un type rouquin et timide, la mèche haut perchée sur la tête, le nez pointu, portant des bottes en cuir montant au-dessus des genoux et massacrant un air de musique romantique.

Les Anglais ne sont devenus musiciens qu'avec les Beatles. Si vous n'êtes pas d'accord, écoutez d'abord Tom Jones et on en reparle.

J'entends déjà protester ma lectrice anglaise qui criait, en noir et blanc, derrière les cordons de police quand Paul apparaissait en haut de la passerelle du Super Constellation. Celle qui portait la minijupe écossaise et le brushing amidonné à la laque Elnett comme une rock 'n roll attitude. Son boyfriend, Tony, aux pantalons pied-de-poule, Chelsea boots pointues et cravate ficelle, sourit derrière ses Ray Ban. Tout ce monde-là traversait Londres du côté de Victoria en scoot customisé de dizaines de phares, l'été dernier. *Mods* forever. En grappes. Ils s'amusaient. Les engins étaient rutilants. Eux aussi.

Un été, les « grandes fêtes » de mon village programmèrent Johnny. Pour faire la promo de cet événement, les autorités du comité, qui avaient le cousin de l'agent de l'agent au téléphone plusieurs fois par jour, équipèrent deux Versailles à jantes blanches d'un haut-parleur à pavillon et peignirent les portières des voitures d'un dessin de rocker approximatif où l'on lisait : Johnny Hallyday. Puis quelques branleurs de mon genre, spécialistes du coude à la portière, furent réquisitionnés. Une fois chaussées les Ray Ban – pour ceux qui ne les gardaient pas en dormant –, il s'agissait d'aller faire le tour des plages pour annoncer la bonne nouvelle par haut-parleur : Craquement – Allô, allô – Samedi au square de Lézignan-Corbières – concert unique de Johnny Hallyday. Puis, après un où deux ratés « larsen », le haut-parleur massacrait *Retiens la nuit pour nous deux jusqu'à la fin du monde, retiens la nuit pour nos cœurs dans sa course vagabonde...* – j'adore. Si j'étais assuré de ne pas me faire saquer ces lignes magnifiques par mon éditeur, je reproduirais ici l'intégralité de cette chanson qui sent le flirt, le Mennen et le costard sardine. Je reprends. Voici comment, dans quel équipage, nous, les branleurs, fiers comme Artaban, traversions les campings sauvages posés sur le sable au milieu des Aronde et des Dauphine à deux pas de l'eau. Il y avait toujours des jeunes filles imprudentes pour courir derrière la voiture puisqu'il leur avait semblé apercevoir sur la banquette arrière, planqué sous les lunettes noires, Johnny himself. À celles qui se souviendront de l'épisode, qui étaient là, vers 1965, à se faire chier avec leurs parents qui exigeaient encore que trois heures passent entre le déjeuner et le bain, les mêmes qui dans la tente où l'on crevait de chaud poussaient à fond le volume du Teppaz pour écouter *Do you do you Saint-Tropez*, ou *Zoubizoubizou*, empêchant les voisins de faire la sieste, à celles-là, je dis : C'était pas Johnny, les filles, c'était moi. Désolé, poupée.

Je me souviens aussi de cette tente d'Anglais, une minitente volée à l'armée que ça ne m'étonnerait pas, devant laquelle deux beatnicks sales comme des peignes de clochard nous regardèrent passer. Quand ils aperçurent la Versailles, musique à fond faisant vibrer le toit, déboulonnant presque les portières, ils tendirent le doigt vers nous et éclatèrent de rire : Ah ! ah ! ah ! Johnny Hallyday, what a jerk !

C'était méprisant. Nous l'avons tout de suite compris. On aurait pu tirer le frein à main, descendre, leur demander « pourquoi c'est qu'ils riaient » et leur foutre une branlée... Mais, comme de vrais professionnels du music-hall, nous avons continué la balade. Quand on a seize ans, qu'on porte de fausses lunettes noires

Ray Ban, on est concentré, non ? Salauds d'Anglais, allez donc vous tortiller sur la musique de votre tocard de Tom Jones qui chante comme un chien en rut.

Puis surgirent les Beatles.

On aimait Johnny, Adamo, Clo-clo et les Claudettes, Richard Anthony, mais bon, dès le premier 45 tours, les Beatles, même si on n'y comprenait rien : respect.

C'est par eux, par ces quatre garçons, que l'Angleterre s'insinua sournoisement dans notre monde méditerranéen. Avant cela, quelques dégénérés, blousons noirs et casseurs de chaises d'Olympia aimaient Elvis. Mais pour le gros de la troupe, c'était plutôt Dario Moreno. Ça gigotait autant, il y avait plus de gras autour. Et nous, dans le Sud, à deux pas de l'Espagne, le mambo, le boléro, la rumba, le paso, on avait biberonné ça au berceau. Les actrices qu'on aimait c'était Gina, Sophia Loren et l'autre, là : Gloria Lasso, qui s'était mariée cent douze fois et qui chantait *Prends ma main car je suis étrangère ici...* Mon amour, disait Jésus, l'oncle de Gérard Cougourle, celui qui, accoudé au juke-box, s'habillait élégant comme un torero de café, je prends ta main, je prends tout, vé, t'es prévenue.

Donc la révolution Beatles.

Au début, ces Beatles, là, ça n'était pas gagné pour eux. Car ils furent adoptés par les enfants des bourgeois. Ils chantaient en anglais que les enfants des bourgeois avaient appris (approximativement) – voir plus haut. On se méfiait. Mais quand ils, les Beatles, eurent les cheveux un peu plus longs, que nous-mêmes eûmes aussi les cheveux longs, il devint difficile de les ignorer. On était piégés. Ne pas aimer les Beatles devenait une faute. Les plus réfractaires choisirent les Rolling Stones. Comme les anti-Johnny préférèrent Antoine, le chanteur qui allait devenir vendeur de lunettes.

Grace à ces garçons anglais, les adolescents devinrent « les jeunes ». Avant ça, jeunes et vieux fraternisaient, réunis au café autour du saint pastis. La hiérarchie restait bon enfant. Jamais les jeunes bourrés ne manquaient de respect aux vieux ivrognes. Et puis, sous l'influence affreuse des Beatles ou pis encore, des Rolling Stones, les jeunes décrétèrent que l'alcool était une saloperie, qu'ils préféraient le haschisch. Le hippie déjanté apparut sous Sergeant Pepper. Une calamité, un tsunami dans un pays où de tout temps avait régné le dieu Pernot.

C'est dans cette période charnière de l'humanité que mes trois copines préférées prirent le train jusqu'au Havre puis le ferry pour le concert à l'île de Wight. Les plus aguerris, les intrépides du village, allaient alors jusqu'à Toulouse, qui était franchement au nord. Avec Wight, on changeait d'univers. C'était l'époque de la conquête spatiale.

Nous n'avions plus vocation, on le voit aisément, à rester des mémés Martinez, à jamais étrangères sur une terre étrangère. Le 501 allait faire le reste. Oui, mais le reste, ça serait quoi ?

Soyons juste. Un seul type le disputait aux Beatles dans l'imaginaire des adolescents. Che Guevara. Puisque le monde frappait à la vitre de nos télés, nous prévenant des turpitudes des mods et des rockers, les enfants de la classe ouvrière méridionale, qui avaient de moins en moins de goût pour travailler la vigne et de plus en plus pour « buller » dans les bureaux de l'administration, comprirent grâce au Che que la lutte des classes n'était pas de la daube. Que le paradis promis n'était plus loin.

Mais pas tout de suite.

Il ne fut pas si difficile de transformer plusieurs d'entre nous en « jeunes » politisés. Mao souriait comme un Bouddha bienveillant. Nous achetâmes avec joie son petit livre illisible. Che Guevara, joli comme un cœur, portait avec élégance, sur des bouclettes tombant dans le cou, le béret de nos grands-pères. Comme il avait l'air fiévreux, marginal, Ernesto ! Et martial ! À la taille de son cigare, les filles rosissantes imaginaient le bazar caché dans son pantalon.

La révolution, sexuelle et tutti quanti, nous tomba dessus. Surtout sur les filles. Le jeune, invention récente, devint une cible. Depuis, il l'est resté. À Londres, David Hemmings, dans le Holland Park rêvé d'Antonioni, roulait en cabriolet Bentley assorti au blanc du jean 501. Voyant cela, « et que cela était bon », on se disait qu'il y avait de fortes chances pour que nous-mêmes ayons, tôt où tard, une bagnole de cette trempe. Le paradis, pour John Lennon ? Rester au pieu pendant un mois. Ah, ça, ça nous plaisait. Pour David Hemmings ? Traîner son air grincheux, revenu de tout, les poches tapissées de gros biftons. Et gardez la monnaie. L'existentialisme, cette posture morale des années cinquante, trouva ses meilleures heures dans les années soixante-dix à Londres.

Et je n'y étais pas.

Même à vingt ans, on ne peut pas être partout.

ÉPILOGUE

L e soleil d'hiver plonge derrières les chemi-
nées vers Earls Court. La température a
baissé d'un coup. Nous approchons pas à pas du
solstice d'hiver. Je connaîtrai, avant Noël, un
temps intermédiaire où, d'un bond, viendra se
poser sur mon épaule la petite bête nauséeuse
comptable de l'année qui s'achève. Et me voilà,
récapitulant mes paresses, mes échecs, les appels
téléphoniques qui auraient changé ma vie et
que je n'ai pas, cette année encore, réussi à
passer. Alors, le lecteur se dira : Quel type aga-
çant ! Quel médiocre gai luron ! Bah ! Un faux-
monnayeur, en somme, au moment où d'autres,
moins veinards, chuchotent déjà comme des
enfants : Noël, les cadeaux !

Des cadeaux ?

Et quoi encore ?

En achevant ce court texte, je doute. À vous
parler de ma vie à Londres, qu'ai-je voulu

dire ? Ai-je succombé au péché d'écriture ? Ou bien ai-je démêlé, à l'occasion d'un voyage, le fil des jours dans un livre d'heures pour fidèle ayant perdu la foi ? J'arrive au temps de la vie où les bonnes nouvelles ont déjà été publiées. Et oubliées. Gâté que je fus.

J'ai reniflé cela en quittant Paris.

Ici, je pense à mon père, là-bas, dans mon Sud. Vaillant malgré tout, il ne tient plus guère sur ses jambes et m'interroge du regard. Ce qu'il devine devant lui, son « avenir », comme il dit, ne l'embarrasse pas, et c'est avec la même tendresse amusée qu'il regarde en arrière. Vers le fond du fond de sa mémoire. À chacune de mes visites, il me propose de l'amener une fois encore dans cette plaine près du canal du Midi où il a vécu le meilleur de son enfance. De revoir son océan de vignes frissonnant sous la chaleur. Arrivé sur le lieu, devant les empreintes de la maison rasée, sa maison en pleine campagne, dont ne subsiste qu'un carrelage cassé, à nu, face au ciel, il tend le doigt et pointe la canne. Il murmure : Là, il y avait un ruisseau, de l'eau courait. Avec cette eau, mon père arrosait les vignes.

Puis il hoche la tête et sourit. Il a sept ans.

À vivre ainsi, à changer de posture, de pays, il se peut que quelque chose se soit réveillé en moi. Une chose qui sommeillait. Qui n'a pas de nom. Ou que je ne sais pas nommer. « *Quelque chose se tenait embusqué...* », dirait autrement Marguerite Duras adaptant Henry James, cet Américain de Londres à l'humeur tellement locale. Cette chose que l'on ne peut voir du côté de la lumière. Mais, pour peu que l'on fasse un pas en arrière, revenant dans l'ombre, on la découvre qui vous regarde et l'on comprend, ému, que bonne bête, « *la bête dans la jungle* » n'allait pas nous dévorer et nous observait avec empathie. Bienveillance. Sans qu'on le sache.

Depuis toujours. Malheureux ceux qui l'envisagent comme une ennemie, et n'en parlons plus.

Allez, pour vous, je lâche tout.

Faire le drôle, étriller les tribus anglaises, n'est qu'un passe-temps de fin de repas arrosé. Un sorbet. Pour moi. Qui n'aime rien tant qu'avoir accrochée au cou une serviette blanche géante au coin enfoncé dans le col de chemise. Et quand viendra la fin, ou le dessert, si vous préférez, vous me trouverez à refuser d'abord puis à accepter que l'on remplisse une dernière fois mon verre. Pour découvrir autour de moi les figures rougeaudes de mes amis.

Oui, les Français qui invitent les Anglais à table leur enseignent les « bonnes » manières. C'est simple, on tâche de tenir convenablement ses couverts – ça n'est pas rien – et on bâfre comme des cochons, on reprend de tout, et on blague à propos de celui-ci, de celui-là. On peut même se disputer. C'est autorisé. On se rabibo-chera au café. S'amuser de ce qui bouge, patauge, claironne, est un sport de salle à man-ger que j'ai pratiqué sans retenue. Mes confi-dences, mes fausses détestations sont de peu d'importance. Mes emballements aussi. Et si ma main se hasarde à caresser l'échine de « *la bête* », je vérifie aussitôt que c'est sans trem-bler...

La nuit couvre Kensington.

En haut de l'immeuble de Barker's où débuta Mary Quant, l'Union Jack se balance dans la brise. Tout à l'heure, nous reprendrons la voiture direction l'autre bout de la ville : Shoreditch again. Sur la berge nord de la Tamise, nous voyons grimper vers le ciel la nouvelle tour pointue de Renzo Piano : The Shard. C'est le quartier qui monte, proche du Borought Market où s'installent les nouveaux malins de l'art contemporain, toujours aux aguets, dans la trace de White Cube Gallery : Bermondsey, nouvelle Jérusalem trendy, luit dans la nuit.

Tiens, faudra aller y jeter un œil.

Je finis, mes amis, je finis.

Et voilà qu'au moment de clore ce livre je retrouve ces mots jetés au crayon dans un carnet d'esquisses, à mon arrivée à Londres.

Quand où je dessinais encore un peu, et que, imberbe, j'entamais sans le savoir cette plongée profonde. Où j'avais l'impression d'avoir quitté Paris pour peu de temps. Écoutez ça :

« Qui me dit que mon attachement à la vie n'est pas qu'une illusion, […] ou simplement la réaction d'un individu qui, ayant quitté sa maison natale tout enfant, aurait oublié le chemin du retour ? »

C'est de Zhuangzi, Chinois vivant au IIIe siècle avant J.C. Oh ! Le chemin du retour ? Laissez-moi rire. Ça sent son week-end désastreux à la campagne. Revenir sur ses pas, c'est retrouver le chauffage au mazout qui pue, aller dans la nuit noire chez le boulanger du village à côté qui n'a plus de pain et rallumer un feu de buches humides qui tarde à prendre.

J'ai raconté, il y a quelque temps, l'histoire d'une famille d'Andalous. Ils quittaient leur terre, tirant vers le nord une charrette à bras chargée de leur maigre fortune. Notre chemin est celui sur lequel on va. Ceux qui s'éloignent oublient vite le chemin du retour. Et succombent aux fantômes. Fellini, qui m'enchantera toujours, et à qui l'on demandait s'il allait encore à Rimini, répondait que non. Que sa ville d'enfance, il la transportait dans sa tête. Ainsi, il bâtissait son œuvre.

Aujourd'hui je ne fais presque plus attention aux briques. Il me paraît normal qu'une boîte à chaussures anglaise déguisée en maison ait une porte encadrée d'un chapiteau dorique. Je n'y vois plus de mal. C'est à cela que l'on différencie le touriste de l'habitant. Le touriste a le nez en l'air. Il a un avis. Il compare. Il profite.

Je ne crains plus grand-chose de cette ville que je connais maintenant. Parmi les visages que je croise, je scrute une trace de genre humain auquel j'appartiens. Oui, celui qui marche, là, sur Piccadilly, un atroce Starbucks coffee au bout des doigts, empressé, concentré, l'iPhone scotché à l'oreille : « Involved, actually ».

Oh my God !… Mais c'est moi.

Déc. 2011, Londres

Photocomposition Nord Compo
Villeneuve-d'Ascq

CET OUVRAGE
A ÉTÉ ACHEVÉ D'IMPRIMER
SUR ROTO-PAGE
PAR L'IMPRIMERIE FLOCH
À MAYENNE EN AVRIL 2012

Dépôt légal : avril 2012.
N° d'impression : 82307.
36-33-0826-2/01
Imprimé en France